An Triail
Cabhair agus Cúnamh

Nótaí don Ardteistiméireacht

Elizabeth Wade & Yvonne O'Toole

Arna fhoilsiú ag
An Comhlacht Oideachais
Bóthar Bhaile an Aird
Baile Uailcín
Baile Átha Cliath 12

Ball den Smurfit Kappa Group

Dearadh agus clóchur: GSDC
Dearadh an chlúdaigh: Design House
Grianghraf clúdaigh: Tony Monaghan
Obair ealaíne: Brian Fitzgerald

Tháinig an páipéar a úsáideadh sa leabhar seo ó fhoraoisí rialaithe i dtuaisceart na hEorpa. In aghaidh gach crann a leagtar, cuirtear crann amháin eile ar a laghad.

05M18

Na pearsana sa dráma

Máire

Bean Uí Chathasaigh
(Máthair Mháire)

Liam
(Deartháir Mháire)

Seán
(Deartháir Mháire)

Pádraig Mac Cárthaigh
(Athair an linbh)

Colm
(An múinteoir damhsa
agus múinteoir scoile)

Seáinín an Mhótair
(Chabhraigh sé
le Máire)

An Bainisteoir
(D'oibrigh Máire
dó sa mhonarcha)

Bean Uí Chinsealaigh
(d'oibrigh Máire di)

Áine Ní Bhreasail
(An t-oibrí sóisialta)

Mailí, an striapach
(Chabhraigh sí le Máire)

- Leabhar nótaí cuimsitheach ar gach gné den dráma An Triail atá anseo
- Tá achoimre tugtha ar scéal tragóideach an dráma
- Tá léiriú tugtha ar shaol agus ar stair na hÉireann sa tréimhse ina bhfuil an dráma suite a thabharfaidh thuiscint níos fearr do na daltaí ar eachtraí an dráma
- Tá nótaí tugtha ar shaol an drámadóra, Máiréad Ní Ghráda
- Tá staidéar déanta ar na teicnící drámaíochta a úsáidtear sa dráma
- Tá nótaí ar gach ceann de na pearsana tábhachtacha sa dráma
- Tá staidéar déanta ar na téamaí éagsúla atá le fáil sa dráma
- Tugtar liosta den fhoclóir is tábhachtaí a bhaineann le gach pearsa agus téama, agus tá cleachtaí foclóra ann freisin chun cabhrú leis na daltaí dul i ngleic leis an ábhar
- Tá ceisteanna scrúduithe ann maraon le freagraí samplacha
- Tabharfaidh an leabhar nótaí seo misneach agus cúnamh do na daltaí agus iad ag tabhairt faoin ngné seo den chúrsa Ardteiste Ardleibhéal

Na siombail

 Tréithe tábhachtacha

 Ceisteanna Scríofa

 Ábhair le plé sa rang

 Ceisteanna Scrúduithe

 Obair Ranga

Clár

Cuir tic sna boscaí thíos nuair atá staidéar déanta agat ar na hábhair thíos.

1

An Triail

Léiríodh *An Triail* den chéad uair ar an 22 Meán Fómhair 1964 mar chuid d'Fhéile Amharclainne Bhaile Átha Cliath. Fuair *An Triail* **ardmholadh** ach bhí **conspóid** faoi freisin le daoine áirithe ag rá gur ábhar **smeartha** a bhí ann agus nár cheart radharc suite **i dteach striapaí** a chur ar an stáitse. Baineann *An Triail* le cás cailín shingil a bhí **torrach** agus an chaoi uafásach **chruachríoch** ar caitheadh léi i **sochaí na hÉireann** ag an am.

ardmholadh: *high praise*
conspóid: *controversy*
smeartha: *smutty*
i dteach striapaí: *prostitute's house*

torrach: *pregnant*
cruachroíoch: *hard-hearted*
sochaí na hÉireann: *Irish society*

Tragóid

Nuair a bhí Máiréad Ní Ghráda óg chonaic sí **mar a caitheadh le cailín óg singil a bhí torrach** ina ceantar féin. Chuir **fimíneacht** na heachtra uafás uirthi agus sa dráma seo **éiríonn léi an t-uafás sin a léiriú dúinn.** Is iomaí sórt dráma atá ann. Tá an **dráma tragóideach** ann, dráma ina mbíonn **coimhlint** idir dearcadh an phobail agus **dearcadh na príomhphearsan**. In *An Triail*, tá coimhlint idir dílseacht agus grá Mháire dá páiste agus **an tsochaí** a deir gur peaca é leanbh a bheith ag cailín singil agus gur cheart an leanbh a chur ar altramas. **Eascraíonn tragóid as** an gcoimhlint seo mar a fheictear ag deireadh an dráma.

Tá tionchar an drámadóra **Bertolt Brecht** (1898–1956) le feiceáil ar *An Triail*. Dar leis, ba rud **polaitiúil** é an amharclann agus bhí sé tábhachtach go ndéanfadh an lucht féachana an fhoghlaim agus an fhorbairt. Iarrtar ar an lucht féachana a bheith mar **ghiúiré** sa Triail, **an fhianaise** a scrúdú gan trua.

Ba cheart mar sin go gcuirfeadh *An Triail* fearg orainn, an lucht féachana, an giúiré, agus go bhfágfaimis **an amharclann** ag iarraidh suíomh mar sin a athrú. Dá bhrí sin, is tábhachtaí tuiscint ná trua.

mar a caitheadh le cailín óg singil a bhí torrach:
    how a young, single, pregnant girl was treated
fimíneacht: *hypocrisy*
éiríonn léi an t-uafás sin a léiriú dúinn: *she manages to present that horror to us*
dráma tragóideach: *tragic drama*
coimhlint: *conflict*
dearcadh na príomhphearsan: *the outlook of the main character*

an tsochaí: *society*
eascraíonn tragóid as: *a tragedy stems from*
polaitiúil: *political*
giúiré: *jury*
an fhianaise: *the evidence*
an amharclann: *the theatre*

Teicníc an iardhearcaidh

Baineann Máiréad Ní Ghráda úsáid as **teicníc an iardhearcaidh** go han-éifeachtach ar fad sa dráma seo. Gluaiseann na radhairc ó theach na cúirte go dtí eachtra i saol Mháire a mhíníonn iompar Mháire. Baineann Máiréad Ní Ghráda úsáid iontach éifeachtach as na hAturnaetha. Ní raibh iontu (mar a bhí sa Triail go léir) ach **gléas** chun fimíneacht agus **easpa Críostaíochta** an phobail a léiriú.

Tá muidne, an lucht féachana, **rannpháirteach** sa dráma agus sa tragóid. Iarrtar orainn a bheith mar ghiúiré. Tá na fíricí go léir againn, caithfimid **breith** a thabhairt ag an deireadh. Cé a bhí **ciontach** as bás an linbh? Tá a fhios againn go ndearna Máire an '*gníomh gránna danartha*' ach tuigimid cad agus cé a thiomáin í **chun an dúnmharaithe sin**, rud nár thuig aon duine de na pearsana sa dráma **cé is móite de** Mhailí.

---

teicníc an iardhearcaidh: *the flashback technique*
gléas: *instrument*
easpa Críostaíochta: *lack of Christianity*
rannpháirteach: *participating*
breith: *judgement*
ciontach: *guilty*
chun an dúnmharaithe sin: *to that murder*
cé is móite de: *except*

Máiréad Ní Ghráda

- Rugadh i gContae an Chláir sa bhliain 1896 í.
- Bhí Gaeilge ag a muintir.
- Bhain sí BA amach sa Ghaeilge agus sa Fhraincis agus MA sa Ghaeilge i 1919 i gColaiste na hOllscoile Baile Átha Cliath.
- Bhí sí sáite sa pholaitíocht agus í ar an ollscoil – bhí sí ina ball de Chumann na mBan agus cuireadh i bpríosún í mar go raibh sí ag díol bratach ar son Chonradh na Gaeilge.
- Bhí sí ag obair do Raidió Éireann ar feadh tréimhse agus bhí freagracht uirthi as cláir do mhná agus páistí.
- Bhí sí ina heagarthóir ar leabhair scoile chomh maith.
- Chuir sí an-suim sa drámaíocht agus bhí sí páirteach sna hiarrachtaí a rinneadh le hamharclann Ghaeilge a bhunú i mBaile Átha Cliath.
- Ba dhuine an-neamhspleách a bhí inti – bhí post dá cuid féin aici ar feadh a saoil, ag am ar mhinice na mná sa bhaile.
- Fuair sí bás i 1971.

Cúlra an dráma

Tír **an-éagsúil** go deo ó Éirinn na linne seo ab ea **Éire na gcaogaidí agus na seascaidí**. Tír le bochtanas agus le **ráta ard dífhostaíochta** a bhí inti. Ní bhfuair ach fíorbheagán daoine oideachas dara leibhéal (gan trácht ar oideachas tríú leibhéal) mar nach raibh saoroideachas le fáil in Éirinn go dtí an bhliain 1966. **Bhíodh daoine ag streacailt leis an saol**, ag féachaint ar a bpáistí ag dul **ar imirce** ar an mbád bán go Sasana nó go Meiriceá, gan Éire ná a muintir a fheiceáil go minic arís.

Bhí **cumhacht** agus **smacht** an-láidir ag an Eaglais Chaitliceach, lena **béim ar mhóráltacht an-chúng**, ar **na tuataigh**. Bhíodh an mhóráltacht sin le feiceáil i n**dlíthe** na tíre agus **i mBunreacht na hÉireann** (nuair a bhí an bunreacht á dhréachtadh ag de Valera agus an rialtas chuaigh siad i gcomhairle le ceannairí na hEaglaise). Bhíodh meas ag na tuataigh ar na sagairt agus eagla rompu freisin. Ceann de na rudaí a bhí ina pheaca dar leis an Eaglais agus móráltacht na linne sin, ná **gnéas roimh phósadh**. Nuair a d'éiríodh cailín singil torrach chaití go dona agus **go míthrócaireach** léi. Is beag tuiscint ná trua a bhíodh le fáil ó éinne di, tuismitheoirí, clanna, fostóirí, an Eaglais, an Stát agus **an tsochaí trí chéile** san áireamh. Thugtaí rogha do na cailíní – **an leanbh a chur ar altramas** nó athair an linbh a phósadh. Ní ghlactaí in aon chor leis an leanbh a choimeád.

Nuair a bhí Máiréad Ní Ghráda ina cailín óg chuala sí scéal a bhain le cailín óg singil ina ceantar. Bhí an cailín sin ag iompar clainne. Bhí uafás agus **alltacht** ar gach duine agus **ruaigeadh an cailín** as an áit. Bhí a fhios ag gach duine cérbh é an t-athair ach ní dhearnadh tada dó. D'fhág **an fhimínteacht agus an chruáltacht** a chonaic sí a **rian** ar Mháiréad Ní Ghráda agus chuaigh sé i bhfeidhm go mór uirthi. Ní dhearna sí dearmad riamh ar **an eachtra éagóireach** sin agus ba é sin **an ionspioráid** dá dráma *An Triail*. Taispeánann sí sa dráma mar ar chaith **gach aicme** den tsochaí le Máire Ní Chathasaigh, cailín óg singil torrach. Ní bhfuair sí **tacaíocht**, tuiscint, trua ná cabhair ó éinne – a máthair, a deartháireacha, **daoine meánaicmeacha ná ísealaicmeacha**. I dtír Chríostaí níor bhuail sí le Críostaíocht ar bith.

an-éagsúil: *very different*

Éire na gcaogaidí agus na seascaidí: *Ireland of the fifties and sixties*

ráta ard dífhostaíochta: *high rate of unemployment*

Bhíodh daoine ag streacailt leis an saol: *people used to be struggling with life*

ar imirce: *emigrating*

cumhacht: *power*

smacht: *control*

béim ar mhóráltacht an-chúng: *emphasis on a narrow-minded morality*

na tuataigh: *the laity*

dlíthe: *laws*

i mbunreacht na hÉireann: *in the Irish constitution*

gnéas roimh phósadh: *sex before marriage*

go míthrócaireach: *unmercifully*

an tsochaí trí chéile: *society in general*

an leanbh a chur ar altramas: *to have the child adopted*

alltacht: *horror*

ruaigeadh an cailín: *the girl was banished*

an fhimínteacht agus an chruáltacht: *the hypocrisy and cruelty*

rian: *mark*

an eachtra éagóireach: *the unjust event*

an ionspioráid: *the inspiration*

gach aicme: *every class*

tacaíocht: *support*

daoine meánaicmeacha ná ísealaicmeacha: *middle or lower class people*

Ceisteanna Scríofa

1. Cathain ar léiríodh *An Triail* den chéad uair?
2. Cén fáth a raibh conspóid faoin dráma?
3. Luaigh téama an dráma i d'fhocail féin.
4. Cár rugadh Máiréad Ní Ghráda?
5. Cén fáth ar cuireadh i bpríosún í?
6. Luaigh dhá phost a bhí aici.
7. Déan cur síos ar Éirinn na gcaogaidí agus na seascaidí i d'fhocail féin.
8. Mínigh an chumhacht a bhí ag an Eaglais ar ghnáthdhaoine.
9. Cén scéal a chuala Máiréad Ní Ghráda nuair a bhí sí óg?
10. Cén tionchar a bhí ag an scéal seo ar Mháiréad?

Cuir na focail thíos in abairtí

1. fímíneacht

   _____

   _____

2. béim ar mhóráltacht

   _____

   _____

3. cailín óg singil torrach

   _____

   _____

5

4. smacht

_____

_____

5. tír Chríostaí

_____

_____

6. tacaíocht

_____

_____

7. Bunreacht na hÉireann

_____

_____

8. teicníc an iardhearcaidh

_____

_____

Cuir Béarla ar na habairtí

1. Baineann Máiréad Ní Ghráda úsáid as teicníc an iardhearcaidh go han-éifeachtach ar fad sa dráma seo.
2. Tá muidne, an lucht féachana, rannpháirteach sa dráma agus sa tragóid.
3. Eascraíonn tragóid as an gcoimhlint seo mar a fheictear ag deireadh an dráma.
4. Nuair a bhí Máiréad Ní Ghráda óg chonaic sí mar ar caitheadh le cailín óg singil a bhí torrach ina ceantar féin.
5. Baineann *An Triail* le cás cailín shingil a bhí torrach agus an chaoi uafásach chruachroíoch ar caitheadh léi i sochaí na hÉireann ag an am.
6. Tír an-éagsúil go deo ó Éirinn na linne seo ab ea Éire na gcaogaidí agus na seascaidí.
7. Bhíodh daoine ag streacailt leis an saol, ag féachaint ar a bpáistí ag dul ar imirce ar an mbád bán go Sasana nó go Meiriceá, gan Éire ná a muintir a fheiceáil go minic arís.
8. D'fhág an fhimínteacht agus an chruáltacht a chonaic sí a rian ar Mháiréad Ní Ghráda agus chuaigh sé i bhfeidhm go mór uirthi.
9. Ní bhfuair sí tacaíocht, tuiscint, trua ná cabhair ó éinne – a máthair, a deartháireacha, daoine meánaicmeacha ná ísealaicmeacha. I dtír Chríostaí níor bhuail sí le Críostaíocht ar bith.

Obair Ranga

1. Pléigh cúlra an dráma sa rang.
2. Pléigh téama an dráma sa rang.
3. Pléigh teicníc an iardhearcaidh sa rang.

Na hAturnaetha

Tá beirt aturnaetha sa dráma, Aturnae 1 (Aturnae an Stáit) agus Aturnae 2, (Aturnae an chosantóra, Máire). Is í **an fheidhm** atá ag Aturnae 1 ná teacht go dtí **lomchlár** na fírinne, agus an fheidhm atá ag Aturnae 2 ná fimíneacht agus **easpa carthanachta** na ndaoine a thaispeáint.

Nuair atá Aturnae 2 ag ceistiú mháthair Mháire, tar éis ligint di labhairt faoi Dhia, creidiúnacht agus na comharsana, cuireann sé an cheist uirthi, '*Tuairim na gcomharsan is mó atá ag déanamh buartha duit . . . ar thaispeáin tú grá máthar nó carthanacht Chríostaí do d'iníon nuair a bhí sí i dtrioblóid?*'

Déanann sé an rud céanna le Seán, an deartháir atá ag iarraidh a bheith ina shagart – tar éis dó labhairt faoin tsagartóireacht, ceistíonn sé é '*An ndearna tú aon iarracht ar ghrá Dé nó ar charthanacht Chríostaí a thaispeáint do do dheirfiúr?*'

Is é an tAturnae céanna a léiríonn bréagacht agus fimíneacht na mná uaisle. Téann sé trína fianaise go léir léi — faoin bhfógra sa pháipéar ag lorg cúntóir tís, an tuarastal a bhí le tairiscint, obair Mháire . . . fuair sé amach uaithi go raibh sí lánsásta le Máire agus go raibh na páistí ceanúil uirthi, nár íoc sí an méid iomlán di, nach ndearna sí aon seiceáil ar Mháire, i ndáiríre, nach raibh aon rud cearr léi ach amháin go raibh sí ag iompar clainne – dúirt an bhean go raibh an tAturnae ag casadh a cuid cainte ach ní raibh sé ach ag léiríu fhimíneacht na mná, rud nár thaitin léi in aon chor.

Déanann sé an rud ceanann céanna leis an mbean lóistín – nóiméad amháin bhí sí ag rá go raibh a fhios aici i gcónaí nach raibh Máire riamh ina **baintreach**, agus nóiméad eile bhí sí ag rá go raibh sé ceart go leor cíos ard a leagadh uirthi toisc go raibh pinsean na baintrí aici. I ndáiríre, níor thaitin Máire leis na mná seo mar go raibh sí singil le **leanbh tabhartha** agus d'éirigh leis an Aturnae é seo a thaispeáint go soiléir. Ní raibh sna haturnaetha (mar a bhí sa triail go léir) ach **gléas** chun fimíneacht agus easpa Críostaíochta an phobail a léiriú.

an fheidhm: *aim*
lomchlár: *centre*
easpa carthanachta: *lack of charity*
baintreach: *widow*
leanbh tabhartha: *illegitimate child*
gléas: *instrument*

Obair Ranga

1. Pléigh ról na n-aturnaetha sa dráma.
2. Pléigh fírinne an ráitis seo sa rang: 'Is é an tAturnae céanna a léiríonn bréagacht agus fimíneacht na mná uaisle.'
3. Ní raibh sna haturnaetha (mar a bhí sa triail go léir) ach gléas chun fimíneacht agus easpa Críostaíochta an phobail a léiriú. Pléigh an ráiteas seo sa rang.

Cuir Béarla ar na habairtí

1. Is í an fheidhm atá ag Aturnae 1 ná teacht go dtí lomchlár na fírinne, agus an fheidhm atá ag Aturnae 2 ná fimíneacht agus easpa carthanachta na ndaoine a thaispeáint.

   _____
   _____
   _____

2. Is é an tAturnae céanna a léiríonn bréagacht agus fimíneacht na mná uaisle.

   _____
   _____

3. Dúirt an bhean go raibh an tAturnae ag casadh a cuid cainte ach ní raibh sé ach ag léiriú fhimíneacht na mná, rud nár thaitin léi in aon chor.

   _____
   _____

4. I ndáiríre, níor thaitin Máire leis na mná seo mar go raibh sí singil le leanbh tabhartha agus d'éirigh leis an Aturnae é seo a thaispeáint go soiléir.

   _____
   _____

5. Ní raibh sna haturnaetha (mar a bhí sa triail go léir) ach gléas chun fimíneacht agus easpa Críostaíochta an phobail a léiriú.

   _____
   _____

Achoimre an dráma

1. Máire sa Bhaile

Tá Máire Ní Chathasaigh ar triail as marú a linbh, Pádraigín, ach tá Máire féin marbh. Níl sa triail ach **gléas** nó modh chun Éire na gcaogaidí a thaispeáint agus **a iniúchadh**. I ndáiríre, ní hí Máire atá ar triail ach **an tsochaí trí chéile**, gach duine in Éirinn ag an am. Is muidne an giúiré, tá na fíricí go léir ar eolas againn agus caithfimid **ár mbreithiúnas** a thabhairt – cé atá **ciontach** as na rudaí uafásacha a tharla? An bhfuil an locht ar Mháire nó ar **dhaoine mícharthanacha** eile?

Cailín óg **soineanta** saonta a bhí i Máire. Lig a máthair di dul ag rince sa teach scoile oíche amháin toisc go raibh an sagart **i gceannas** air. Chuaigh sí ann lena dearthair Liam, a bhí **sa tóir** ar chailín **áitiúil**, Beití de Búrca. Ar **an oíche chinniúnach mhí-ámharach** sin bhuail sí le Pádraig Mac Cárthaigh, máistir scoile nua atá tar éis teacht chun na háite. Iarrann sé uirthi dul ag damhsa leis agus insíonn sí go **támáilte** dó nach bhfuil aon taithí aici ar rince agus go bhfuil a máthair ag iarraidh go rachaidh sí isteach sna mná rialta. Siúlann siad abhaile lena chéile agus meallann Pádraig í nuair a labhraíonn sé **go fileata** léi agus nuair a deir sé léi nár cheart di dul isteach in aon **chlochar**. Faoi dheireadh na hoíche tá Máire i ngrá le Pádraig agus buaileann siad lena chéile ina dhiaidh sin. Níl ach fadhb amháin ann. Tá Pádraig pósta cheana féin, le bean atá go dona tinn agus atá **ag saothrú an bháis**.

Tá Máire buartha faoin ngaol go minic, ag ceapadh go bhfuil **éagóir** á déanamh acu ar an mbean thinn agus is cuma le Pádraig. Sa deireadh tá Máire **torrach** agus ní fheiceann sí Pádraig ina dhiaidh sin. Nuair a fhaigheann a máthair amach faoin **toircheas**, tá sí ar buile agus déanann sí iarracht an leanbh sa bhroinn **a ghinmhilleadh**. Diúltaíonn Máire do réiteach a máthar ar an bhfadhb agus **díbrítear í**. Tá Máire go hiomlán ina haonar anois. Tá beirt deartháireacha aici, Seán atá ag smaoineamh ar a bheith ina shagart agus Liam atá ag iarraidh Beití de Búrca a phósadh. Ní thugann ceachtar acu **tacaíocht** ná cabhair do Mháire.

gléas: *instrument*	**i gceannas:** *in charge*	**clochar:** *convent*
a iniúchadh: *scrutiny*	**sa tóir:** *chasing*	**ag saothrú an bháis:** *dying*
an tsochaí trí chéile: *the society in general*	**áitiúil:** *local*	**éagóir:** *injustice*
ár mbreithiúnas: *our judgement*	**an oíche chinniúnach sin:** *that fateful night*	**torrach:** *pregnant*
ciontach: *guilty*	**mí-ámharach:** *unfortunate*	**toircheas:** *pregnancy*
daoine mícharthanacha: *uncharitable people*	**támáilte:** *shy*	**a ghinmhilleadh:** *to abort*
soineanta: *innocent*	**go fileata:** *poetic*	**díbrítear í:** *she is banished*
		tacaíocht: *support*

Ceisteanna Scríofa

1. Cén fáth ar lig a máthair di dul chuig an rince sa teach scoile?
2. Inis i d'fhocail féin faoinar tharla an chéad oíche a bhuail Máire le Pádraig.
3. Céard a dhéanann máthair Mháire nuair a fhaigheann sí amach go bhfuil Máire torrach?
4. Cén saghas cailín í Máire sa dráma seo?
5. Cén fáth ar díbríodh Máire as an teach?
6. Cén saghas saoil a bhí ag Máire sa bhaile?
7. Scríobh achoimre ar an dráma i d'fhocail féin.

Obair Ranga

1. Cén fáth ar fhág Máire a teach chun aghaidh a thabhairt ar Bhaile Átha Cliath ina haonar?
2. Conas mar a chuaigh an nuacht i bhfeidhm ar mháthair Mháire nuair a chuala sí go raibh a hiníon torrach?
3. Cén fáth nár thacaigh a deartháireacha léi?

Cuir Béarla ar na habairtí

1. I ndáiríre, ní hí Máire atá ar triail ach an tsochaí trí chéile, gach duine in Éirinn ag an am.

   _____

2. Cailín óg soineanta saonta a bhí i Máire.

   _____

3. Ar an oíche chinniúnach mhí-ámharach sin bhuail sí le Pádraig Mac Cárthaigh, máistir scoile nua atá tar éis teacht chun na háite.

   _____

4. Faoi dheireadh na hoíche tá Máire i ngrá le Pádraig agus buaileann siad lena chéile ina dhiaidh sin.

   _____

5. Tá Máire buartha faoin ngaol go minic, ag ceapadh go bhfuil éagóir á déanamh acu ar an mbean thinn agus is cuma le Pádraig.

   _____

   _____

2. Máire i mBaile Átha Cliath

Tugann Máire aghaidh ar Bhaile Átha Cliath agus faigheann sí **fostaíocht** le bean **ghalánta ardnósach**. Déanann an bhean uasal seo, Bean Uí Chinsealaigh, **dúshaothrú** ar Mháire. Ní íocann sí i gceart í agus chomh luath is a fheiceann sí go bhfuil Máire torrach **tugann sí bata agus bóthar di**.

Téann Máire isteach go **Teach Tearmainn**, ar mholadh oibrí shóisialta. Nuair a bheirtear a leanbh, cailín sláintiúil, tá **an córas**, i bhfoirm an oibrí shóisialta, ag ceapadh go dtabharfaidh Máire an leanbh suas **ar altramas**. Cuireann sí uafás agus alltacht ar Mháire ag ceapadh go bhféadfadh aon mháthair **scarúint** lena leanbh agus **diúltaíonn sí** glan é seo a dhéanamh. Nuair a bhí sí sa Teach Teamainn bhuail sí le **striapach** darbh ainm Mailí.

Nuair a fhágann Máire an Teach Tearmainn faigheann sí post i monarcha. Tá sí ag fanacht i gceantar bocht i mBaile Átha Cliath, ag tógáil seomra **ar cíos** agus ag íoc as cúram leanaí do Phádraigín. Lá amháin tá **sceitheadh gáis** ann agus leagtar an teach. Ina dhiaidh sin tá an-eagla ar Mháire a bheith scartha óna leanbh agus cabhraíonn Mailí agus Seáinín an Mhótair léi. Faigheann sí lóistín di léi féin agus post ag glanadh an tí do **na lóisteoirí** ar fad.

Lá amháin buaileann Máire le Colm, máistir scoile ón mbaile a chuir Máire agus Pádraig Mac Cárthaigh in aithne dá chéile an chéad lá. Tá nuacht an bhaile aige, go bhfuair bean chéile Phádraig bás go gairid tar éis do Mháire an áit a fhágail. Líontar croí Mháire le háthas agus le dóchas – tá Pádraig saor anois chun í a phósadh agus tiocfaidh sé aon lá feasta chun í a fháil.

Tamaillín ina dhiaidh sin tagann Mailí abhaile le beirt fhear – máistrí scoile atá ar saoire sa chathair. Pádraig agus Colm atá ann. Is ar éigean a aithníonn Pádraig Máire ach nuair a aithníonn is beag suim atá aige inti. Níl sé ag iarraidh a iníon a fheiceáil agus **glaonn sé** striapach uirthi (mar a rinne a máthair cheana). Tá Máire anois **i ndeireadh na feide.** Lean sí uirthi ar feadh bliana le dóchas ina croí go mbeadh sí le Pádraig lá éigin ach nuair a ghlaoigh sé striapach uirthi thuig sí den chéad uair an saghas duine a bhí ann agus shocraigh sí ar dheireadh a chur lena saol agus le saol a híníne. Ní raibh sí ag iarraidh go ndéanfadh a hiníon na botúin chéanna a rinne sise, go meallfaí, go ngortófaí agus go dtréigfí í. Críochnaíonn an dráma leis na pearsana ar fad ina seasamh ar an stáitse, gan áiféala ná **aithreachas** orthu, go háirithe ar a muintir féin.

fostaíocht: *employment*	**scarúint:** *to separate*
galánta: *posh*	**diúltaíonn sí:** *she refuses*
ardnósach: *pompous*	**striapach:** *prostitute*
dúshaothrú: *exploitation*	**ar cíos:** *for rent*
tugann sí bata agus bóthar di: *she gets rid of her*	**sceitheadh gáis:** *gas leak*
Teach Tearmainn: *refuge*	**na lóisteoirí:** *the lodgers*
an córas: *the system*	**glaonn sé:** *he calls*
ar altramas: *for adoption*	**i ndeireadh na feide:** *at the end of her tether*
	aithreachas: *repentance*

Ceisteanna Scríofa

1. Cén fáth ar dhiúltaigh Máire a leanbh a thabhairt suas ar altramas?
2. Cén saghas saoil a bhí ag Máire nuair a d'fhág sí an Teach Tearmainn?
3. Déan cur síos ar an gcomhrá a bhí ag Máire le Colm?
4. Cá mbuaileann Máire agus Pádraig le chéile?
5. Cén fáth nach bhfuil Pádraig ag iarraidh a iníon a fheiceáil?
6. Cén fáth a nglaonn Pádraig 'striapach' ar Mháire?
7. Cén fáth ar mharaigh sí a leanbh?

Obair Ranga

1. Cén sórt saoil a bhí ag Máire i mBaile Átha Cliath?
2. Cén fáth a raibh Bean Uí Chinsealaigh ag iarraidh fáil réidh le Máire?
3. Nuair a bhuail sí le Colm cén fáth ar líon a croí le háthas?
4. Cén fáth ar thréig Pádraig í ag deireadh an dráma?

Cuir na focail thíos in abairtí

1. dúshaothrú
2. ar altramas
3. striapach
4. i ndeireadh na feide

Liosta aidiachtaí le foghlaim

Scríobh ainm pearsan ón dráma ar thaobh gach aidiachta atá sa liosta thíos agus ansin cuir na haidiachtaí in abairtí a thaispeánann go dtuigeann tú iad.
(Ná déan dearmad na haidiachtaí a fhoghlaim.)

◆ **fealltach**	*treacherous*	_____
◆ **suarach**	*mean*	_____
◆ **mídhílis**	*disloyal*	_____
◆ **féinlárnach**	*self-centred*	_____
◆ **leithleach**	*selfish*	_____
◆ **brúidiúil**	*beastly*	_____
◆ **mínáireach**	*shameless*	_____
◆ **plámásach**	*flattering*	_____
◆ **seobhaineach**	*chauvinist*	_____
◆ **drochmheasúil**	*disrespectful*	_____
◆ **Críostaí**	*Christian*	_____
◆ **lách**	*gentle*	_____
◆ **dea-chroíoch**	*good-hearted*	_____
◆ **uaillmhianach**	*ambitious*	_____
◆ **ceartaiseach**	*self-righteous*	_____
◆ **cúistiúnach**	*inquisitive*	_____
◆ **sáiteach**	*intrusive*	_____
◆ **domhaiteach**	*unforgiving*	_____
◆ **fimíneach**	*hypocritical*	_____
◆ **creidiúnach**	*respectable*	_____
◆ **údarásach**	*authoratitive*	_____
◆ **tiarnúil**	*domineering*	_____
◆ **coimeádach**	*conservative*	_____
◆ **míchríostaí**	*unchristian*	_____
◆ **míthrócaireach**	*unmerciful*	_____
◆ **cosantach**	*defensive*	_____
◆ **leithleasach**	*selfish*	_____
◆ **lag**	*weak*	_____
◆ **meata**	*cowardly*	_____
◆ **glic**	*sly*	_____
◆ **míchineálta**	*unkind*	_____
◆ **míthuisceanach**	*lacks understanding*	_____
◆ **réchúiseach**	*easy-going*	_____
◆ **cineálta**	*kind*	_____

◆ **cabhrach**	*helpful*	_____
◆ **tuisceanach**	*understanding*	_____
◆ **goilliúnach**	*sensitive*	_____
◆ **támáilte**	*shy*	_____
◆ **bródúil**	*proud*	_____
◆ **grámhar**	*loving*	_____
◆ **saonta**	*naïve*	_____
◆ **dílis**	*loyal*	_____
◆ **láidir**	*strong*	_____
◆ **misniúil**	*brave*	_____
◆ **místuama**	*irresponsible*	_____
◆ **éadóchasach**	*despairing*	_____
◆ **díniteach**	*with dignity*	_____
◆ **deimhnitheach**	*certain*	_____
◆ **béalchráifeach**	*sanctimonious*	_____
◆ **míghoilliúnach**	*insensitive*	_____
◆ **bocht**	*poor*	_____
◆ **doicheallach**	*unwelcoming*	_____

Ceisteanna scríofa

1. Pioc amach cúig aidiacht a oireann do gach pearsa sa dráma. Scríobh abairt amháin faoin bpearsa le gach aidiacht.
2. Céard iad na tréithe is mó a bhaineann le Pádraig sa dráma? Scríobh alt gearr faoi agus tabhair samplaí ón dráma mar thaca le do fhreagra.

2

Tréithe

Foghlaim na haidiachtaí agus na tréithe thíos.

◆ iar-ábhar sagairt	*a former clerical student*
◆ múinteoir scoile	*schoolteacher*
◆ pósta le bean thinn	*married to a sick woman*
◆ fealltach	*treacherous*
◆ suarach	*lowly*
◆ mídhílis	*disloyal*
◆ féinlárnach	*self-centred*
◆ leithleach	*selfish*
◆ brúidiúil	*brutal*
◆ mínáireach	*shameless*
◆ plámásach	*flattering*
◆ glic	*sly*
◆ bhí bua na cainte aige	*he was a convincing talker*
◆ meata	*cowardly*
◆ sotalach	*arrogant*
◆ dímheasúil	*disrespectful*

Léigh an t-alt thíos faoin múinteoir scoile Pádraig Mac Cárthaigh agus ansin freagair na ceisteanna a ghabhann leis an alt.

Pádraig agus Máire – a gcéad oíche le chéile

Is é Pádraig Mac Cárthaigh **frithlaoch** an dráma seo. Buaileann sé le Máire ag damhsa i dteach na scoile agus labhraíonn sé léi. Cuireann sé í ar a suaimhneas, **ag tairiscint dí di** agus **ag magadh go héadrom** faoina máthair, ag rá ar cheart dó cead a fháil uaithi dul ag rince le Máire.

Is léir go bhfuil sé plámásach agus mealltach. Molann sé Máire as an amhrán a chan sí agus deir sé go bhfuil ionadh air nach raibh taithí ag '*cailín deas óg*' ar rince. Is léir ón gcéad chaidreamh seo go raibh **saol cosanta** ag Máire, agus nach raibh aon **taithí** aici ar an saol. Tá Pádraig in ann leas a bhaint as sin **chun í a mhealladh**. Nuair atá an bheirt ag siúl abhaile lena chéile tá sé lán le filíocht agus draíocht, agus deir Máire gurb aoibhinn léi a chuid cainte. Leanann sé leis, á moladh agus ag caint faoina héadan geal leathan . . . agus **faoin bhfiántas atá folaithe ina dá súil**. Bhí bua na cainte aige agus bhain sé an-úsáid as!

frithlaoch: *antihero*	**taithí:** *experience*
ag tairiscint dí di: *offering her a drink*	**chun í a mhealladh:** *to entice her*
ag magadh go héadrom: *lightly mocking*	**faoin bhfiántas atá folaithe ina dá súil:** *the*
saol cosanta: *protected life*	*wildness hidden in her two eyes*

Pádraig agus a bhean chéile	Feicimid taobh eile den fhear seo nuair a thosaíonn sé ag caint faoina bhean chéile. Phós sé í go luath tar éis dó éirí as an tsagartóireacht (**díbríodh é** toisc nach raibh se sásta cloí leis na rialacha – bhí sé ag caitheamh tobac). Bhí rud éigin '***neamhshaolta***' ag baint lena bhean chéile ar dtús, mar a bhain le Máire, mar dhea. Ach nuair a fuair sé amach nár fhéad sí a bheith ina bean chéile cheart dó is dócha gur thosaigh sé **ag lorg leannán eile**. Feicimid chomh mídhílís is atá sé, ag caint faoi rudaí an-phearsanta agus **príobháideach** a bhain leis féin agus lena bhean. Labhraíonn sé **faoi chnaimseáil a mhná** agus faoi **na blianta de phurgadóireacht** atá roimhe léi. Ní léiríonn sé aon trua di, eisean atá **ag fulaingt**, eisean atá thíos le tinneas a mhná. Nuair a deir Máire go bhfuil **éagóir** á déanamh acu ar a bhean chéile, **ní léiríonn sé aon phuinn de scrupaill**. Éiríonn leis trua a chothú i Máire dó.
An gaol rúnda idir Pádraig agus Máire	Tá Pádraig an-ghlic. Cuireann sé **iachall** ar Mháire gan faic a rá le héinne faoina gcaidreamh, níl cead aici a ainm a lua le héinne ná fiú scríobh chuige. Tá sé **meata** mar nár mhaith leis go mbeadh a fhios ag an sagart faoina ngaol mar go gcaillfeadh sé a phost.
An pósadh bréagach	Tuigeann Pádraig go bhfuil **coinsias** ag Máire agus go mothaíonn sí **ciontach**. Tá a fhios aige go mbeidh sí ag dul chun na **faoistine** agus **ag lorg treorú** ón sagart. Mar sin **casann sé an suíomh** timpeall, ag rá gur **rud beannaithe** agus ní peacúil atá eatarthu. Cheapfá ó bheith ag éisteacht leis go bhfuil Máire ag sábháil a phósta, mar go ndeir sé nach mbeadh sé ábalta fanacht lena bhean chéile murach Máire. Ansin, déanann sé an pósadh bréagach le Máire mar go dtuigeann sé go maolóidh sé sin coinsias Mháire (bhí an ceart aige, mar go ndeir Máire nuair a bhuaileann sí lé Pádraig ag deireadh an dráma '*is leatsa í. . . chuir tú fáinne ar mo mhéar 'Leis an bhfáinne seo déanaim thú a phósadh*'). Is fear glic suarach amach is amach é.

---

díbríodh é: *he was banished*

neamhshaolta: *surreal*

ag lorg leannán eile: *looking for another lover*

príobháideach: *private*

faoi chnaimseáil a mhná: *the complaining of his wife*

na blianta de phurgadóireacht: *years of purgatory*

ag fulaingt: *suffering*

éagóir: *injustice*

ní léiríonn sé aon phuinn de scrupaill: *he doesn't show any sense of justice*

iachall: *to force*

meata: *cowardly*

coinsias: *conscience*

ciontach: *guilty*

faoistin: *confession*

ag lorg treorú: *looking for direction*

casann sé an suíomh: *he turns the situation*

rud beannaithe: *something sacred*

Thréig Pádraig Máire	Fear mídhílis é Pádraig. Bhí sé mídhílis dá chéad bhean chéile, do Mháire agus dá dara bean chéile. Nuair a fuair sé amach go raibh Máire **ag iompar clainne**, thréig sé í mar nach raibh sé ann roimpi **ag an ionad coinne**. Thuig Máire tapaidh go leor nach bhfeicfeadh sí arís é, mar go ndúirt sí '*An ród atá romham caithfidh mé aghaidh a thabhairt air i m'aonar.*'
Faigheann a bhean chéile bás agus pósann sé an máistreas scoile. Maslaíonn sé Máire	Feicimid chomh mídhílis is a bhí sé arís nuair a fuair a bhean chéile bás. Ní raibh sí ach cúpla mí marbh nuair a phós sé athuair, (phós sé an máistreas scoile) agus taobh istigh de shé mhí bhí sé ag dul '*go teach an mhíchliú*' le Mailí an striapach. Bhuail sé le Máire ansin agus cheap sí ar dtús go raibh sé tagtha chun í a fháil. Ach ní raibh suim dá laghad aige inti agus **mhaslaigh sé Máire** nuair a ghlaoigh sé striapach uirthi, agus ba chuma leis faoina iníon – níor theastaigh uaidh í a fheiceáil.
Briseann Pádraig croí Mháire	Bhris sé croí Mháire. Thit **na dallóga** dá súile agus d'aithin sí an cineál fir a bhí ann i ndáiríre. Bhí sí **i ndeireadh na feide**. Tar éis gach ar ghabh sí tríd, ní raibh sí in ann é seo a fhulaingt agus **tiomáineadh í** chun dúnmharaithe agus chun lámh a chur ina bás féin. Ag deireadh an dráma tá Pádraig le feiceáil ina sheasamh ar bhruach na huaighe ach ní mhúsclaíonn sé faic ionainn ach **dímheas agus déistin**.

ag iompar clainne: *expecting*
ag an ionad coinne: *at the meeting place*
mhaslaigh sé Máire: *he insulted Máire*
na dallóga: *the covers*

i ndeireadh na feide: *at the end of her tether*
tiomáineadh í: *she was driven*
dímheas agus déistin: *disrespect and disgust*

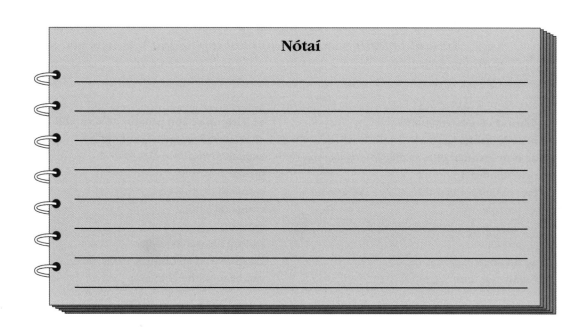

Nótaí

Ceisteanna Ranga – Pléigh na ceisteanna thíos sa rang

1. Ar chóir an locht a chur ar Phádraig don tragóid a tharla ag deireadh an dráma?
2. An bhfuil trua ag léitheoirí do Phádraig nuair a chloiseann siad faoi thinneas a mhná céile? Cén fáth?
3. Níor luaigh Máire ainm Phádraig le duine ar bith. An raibh an ceart aici?
4. An mbaineann aon tréith chúiteach (*redeemable feature*) le Pádraig?
5. 'Ag deireadh an dráma tá Pádraig le feiceáil ina sheasamh ar bhruach na huaighe. Ní mhúsclaíonn sé faic ionainn ach dímheas agus déistin.' An aontaíonn tú leis an abairt seo? Cén fáth?

Ceisteanna Scríofa

1. Déan cur síos ar an gcéad oíche a bhuail Pádraig le Máire.
2. Cén fáth ar thit Máire i ngrá le Pádraig?
3. Céard é an tréith is láidre a bhaineann le Pádraig?
4. Cén fáth ar chuir Pádraig an fáinne ar mhéar Mháire?
5. Cén fáth ar fhág Pádraig an coláiste oiliúna do shagairt?
6. '*An ród atá romham caithfidh mé aghaidh a thabhairt air i m'aonar.*' Cén fáth a ndúirt Máire na focail seo?
7. Déan cur síos ar an gcuairt a thug Pádraig ar theach an mhíchlú ag deireadh an dráma.
8. Déan cur síos ar an gcomhrá a bhí idir Pádraig agus Máire i dteach Mhailí.

Ceisteanna Scrúdaithe

1. '*Mharaigh mé mo leanbh de bhrí gur cailín í. Tá sí saor. Ní bheidh sí ina hóinsín bhog ghéilliúil ag aon fhear.*' Déan plé ar an bpáirt a ghlacann na fir sa dráma seo agus ar an léiriú a dhéantar orthu. (2001)
2. 'Fear brúidiúil mínáireach gan puinn scrupaill é Pádraig Mac Cárthaigh.' É sin a phlé.

Tréithe

Foghlaim na haidiachtaí agus na tréithe thíos.

◆	múinteoir	*teacher*
◆	cainteach	*chatty*
◆	suarach	*lowly*
◆	seobhaineach	*chauvinist*
◆	plámásach	*flattering*
◆	drochmheasúil	*disrespectful*
◆	sa tóir ar Mháire i mBaile Átha Cliath	*chasing Máire in Dublin*
◆	mínáireach	*shameless*
◆	sotalach	*arrogant*

Léigh an t-alt thíos faoi Cholm agus ansin freagair na ceisteanna a ghabhann leis an alt.

Nuair a thagann Colm os comhair na cúirte

Is é Colm a chuireann Máire agus Pádraig in aithne dá chéile. Nuair a thagann sé os comhair na cúirte, **amhail** an-chuid daoine eile tá sé **cosantach** agus **ag séanadh aon fhreagracht**. Ní bhuailimid le Colm arís go dtí beagnach deireadh an dráma.

Buaileann sé le Máire i mBaile Átha Cliath

Tá sé ag obair i mBaile Átha Cliath anois ach níl aithne aige ar mhórán daoine. Déanann sé iarracht Máire a mhealladh, ag déanamh plámáis léi, ag rá gur cuimhin leis oíche an rince agus ag rá go bhfuil sé **deacair a chreidiúint** nach mbeadh buachaill ag cailín chomh **mealltach** le Máire. Tugann sé nuacht an bhaile do Mháire, ag rá léi go bhfuil Liam ag cuimhneamh ar phósadh, go bhfuil Seán ag dul le sagartóireacht agus níos tábhachtaí go bhfuil Pádraig saor chun í a phósadh. Nuair a chloiseann Máire an nuacht seo tá sí lán le dóchas, lánchinnte go mbeidh Pádraig ag teacht chun í a fháil.

Colm i dteach an mhíchlú le Pádraig

Feicimid an taobh suarach agus **seobhaineach** de Cholm nuair a thagann sé go dtí teach an mhíchlú le Pádraig. Fear **creidiúnach** atá ann, máistir scoile (**i súile an phobail** ar aon nós) ach é ag dul go dtí **striapach** agus

amhail: *like*	**mealltach:** *enticing*
cosantach: *defensive*	**seobhaineach:** *chauvinist*
ag séanadh aon fhreagracht: *denying any responsibility*	**creidiúnach:** *respectable*
	i súile an phobail: *in the eyes of the public*
deacair a chreidiúint: *hard to believe*	**striapach:** *prostitute*

é as baile. Tosaíonn sé ag moladh Phádraig toisc gur chuir agus gur phós sé bean in aon bhliain amháin. Ní léiríonn sé aon mheas ar na mairbh. Ansin tosaíonn sé ag maslú agus ag magadh faoi mhná, le caint an-mhaslach agus an-ghránna. '*Seo libh, ólaimis sláinte gach aon óinsín tuaithe ar leor focal bog bladrach chun í a mhealladh.*'

Easpa measa ar mhná

Is léir nach bhfuil **meas** dá laghad aige ar mhná agus taispeánann daoine mar Cholm chomh deacair is a bheadh sé do Mháire aon mheas nó **tuiscint** a fháil sa saol seo, gan trácht ar fhear a phósadh.

meas: *respect*	**tuiscint:** *understanding*

Nótaí

_____

_____

_____

_____

_____

_____

_____

_____

_____

_____

_____

_____

_____

_____

_____

_____

_____

Ceisteanna Ranga – Pléigh na ceisteanna thíos sa rang

1. Is léir nach bhfuil meas dá laghad ag Colm ar mhná. An aontaíonn tú leis an ráiteas seo? Cén fáth?
2. An mbaineann aon tréith chúiteach le Colm?
3. Cén fáth ar thug Colm cuireadh do Mháire dul chuig an mbialann i mBaile Átha Cliath?
4. Ag deireadh an dráma nuair a fheicimid Colm i dteach an mhíchlú le Pádraig, an athraíonn ár ndearcadh ina leith (*does our view of him change*)?

Ceisteanna Scríofa

1. Déan cur síos ar an bpáirt a ghlacann Colm sa rince i dteach na scoile.
2. An bhfuil meas ag an lucht féachana ar Cholm tar éis an chomhrá a bhíonn aige le Máire i mBaile Átha Cliath?
3. Scríobh alt gearr faoin tréith is láidre a bhaineann le Colm.
4. Déan cur síos ar an gcuairt a thugann Colm ar theach an mhíchlú le Pádraig ag deireadh an dráma.

Ceisteanna Scrúdaithe

1. Déan plé ar an bpáirt a ghlacann na fir sa dráma seo agus ar an léiriú a dhéantar orthu.(2001)
2. 'Fear sotalach mínáireach é Colm sa dráma seo.' Pléigh an ráiteas seo.
3. 'Cruthaíonn Máiréad Ní Ghráda pearsana den scoth sa dráma seo.' É sin a phlé.

Tréithe

Foghlaim na haidiachtaí agus na tréithe thíos.

◆	Críostaí	*Christian*
◆	cabhrach	*helpful*
◆	cineálta	*kind*
◆	tuisceanach	*understanding*
◆	cairdiúil	*friendly*
◆	cainteach	*chatty*

Léigh an t-alt thíos faoi Sheáinín an Mhótair agus ansin freagair na ceisteanna a ghabhann leis an alt.

Seáinín sa Teach Tearmainn

Buailimid le Seáinín an Mhótair ar dtús nuair a thagann sé go dtí **an Teach Tearmainn** ag bailiú **éadaí nite**. Bíonn na cailíní **ag griogadh** agus **ag spochadh** as ach tá sé in ann cur suas leis. Glaonn na cailíní '*Elvis Presley na nGael*' air agus is léir go bhfuil siad **ceanúil** air. Nuair a fheiceann sé Máire sa teach, deir sé gur '*Nóinín i measc na neantóg*' í.' Tuigeann sé nach bhfuil sí cosúil leis na cailíní eile. Feiceann sé í ina suí i leataobh agus cuireann sé comhairle uirthi. Fágann sé an Teach Tearmainn tar éis tamaill bhig.

Ag cabhrú le Máire tar éis don teach titim anuas

Is ceann den bheagán daoine é a léiríonn aon trua do Mháire. Tagann sé trasna uirthi arís tar éis don teach titim anuas agus cuireann sé **déistin** agus fearg air nach dtugann éinne cabhair di ach iad '*ag faire agus gan barr méire á ardú ag aon duine acu chun fóirithint uirthi*'. Cuireann sé **an cheist thráthúil** '*Cé a deir gur tír Chríostaí í seo?*' Murab ionann is an chuid is mó de na daoine eile, **tairgíonn sé** cabhair, cineáltas agus trua di. Tagann Mailí agus tugann Seáinín síob don bheirt acu chuig teach Mhailí. Sa radharc deiridh déanann sé saghas **achoimre** ar chruachás Mháire '*Bhris sí na rialacha. An té a bhriseann rialacha an chluiche cailltear é.*'

---

an Teach Tearmainn: *refuge*	**déistin:** *disgust*
éadaí nite: *washed clothes*	**an cheist thráthúil:** *the timely question*
ag griogadh: *mocking*	**tairgíonn sé:** *he offers*
ag spochadh: *mocking / joking*	**achoimre:** *summary*
ceanúil: *fond*	

Ceisteanna Ranga – Pléigh na ceisteanna thíos sa rang

1. Pléigh an ráiteas seo: '*Bhris sí na rialacha. An té a bhriseann rialacha an chluiche cailltear é.*'
2. Cén fáth a ndúirt Seáinín go raibh Máire cosúil le '*Nóinín i measc na neantóg*'?
3. Cén fáth ar ghlaoigh na cailiní '*Elvis Presley na nGael*' ar Sheáinín an Mhótair?

Ceisteanna Scríofa

1. Scríobh alt gearr faoin tréith is láidre a bhaineann le Seáinín.
2. Scríobh alt gearr faoin gcuairt a thug Seáinín ar an teach níocháin.
3. Déan cur síos ar an gcabhair a thugann Seáinín do Mháire.
4. Céard iad na mothúcháin a nochtann Seáinín nuair a thagann sé ar Mháire agus an leanbh ar an mbóthar?

Ceisteanna Scrúdaithe

1. Déan plé ar an bpáirt a ghlacann do rogha beirt díobh seo thíos sa dráma agus ar an mbaint atá acu leis an bpríomhphearsa: Seán Ó Cathasaigh, Bean Uí Chinsealaigh, Mailí, Seáinín an Mhótair.
2. Déan plé gairid ar an gcodarsnacht a bhí idir an bheirt charachtar, Seáinín an Mhótair agus Liam Ó Cathasaigh.
3. '*Cé a deir gur tír Chríostaí í seo?*' arsa Seáinín an Mhótair. Cad a thug air é seo a rá? Ar bhuail Máire le haon charthanacht Chríostaí ina saol?

Tréithe

Foghlaim na haidiachtaí agus na tréithe thíos.

◆	lách	*gentle*
◆	cineálta	*kind*
◆	dea-chroíoch	*good-hearted*
◆	tuisceanach	*understanding*
◆	taitneamhach	*pleasant*

Léigh an t-alt thíos faoin mbainisteoir agus ansin freagair na ceisteanna a ghabhann leis an alt.

Faigheann sí níos mó ná an gnáthráta pá

Cosúil le Seáinín an Mhótair **is duine den bheagán** a léiríonn aon chineáltas nó trua di. **Fostaíonn sé** Máire sa mhonarcha agus nuair a deir sí gur **baintreach** í glacann sé trua di agus tugann sé post di **ag glanadh na leithreas**. Cé nach post róghalánta é tugann sé níos mó ná an gnáthráta pá di agus cuireann sé le bailiúchán airgid di.

Cuireann sé an mátrún chuici

Nuair nach dtagann sí ar obair, cuireann sé an mátrún, altra oilte, amach á lorg chun cabhair a thabhairt di má bhí sé ag teastáil. Chaith sé go cineálta le Máire, cé go raibh sé beagáinín **cosantach** sa deireadh.

is duine den bheagán: *one of the few*	**ag glanadh na leithreas:** *cleaning the toilets*
fostaíonn sé: *he employs*	**cosantach:** *defensive*
baintreach: *widow*	

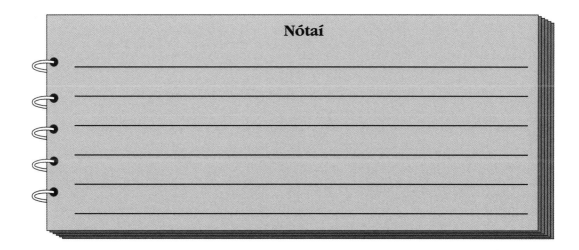

Nótaí

Ceisteanna Ranga – Pléigh na ceisteanna thíos sa rang

1. Thug an bainisteoir post do Mháire ag glanadh na leithreas. Ar chóir dó an post sin a thabhairt di?
2. Cén fáth ar chuir an bainisteoir an mátrún chuig teach Mháire?

Ceisteanna Scríofa

1. Scríobh alt gearr faoin tréith is láidre a bhaineann leis an mbainisteoir.
2. Ag deireadh an dráma an bhfuil meas againn ar an mbainisteoir?
3. Déan cur síos ar an bhfianaise a thugann an bainisteoir don chúirt.

Ceisteanna Scrúdaithe

1. Déan plé gairid ar bheirt a thug cabhair do Mháire sa dráma seo.
2. *'Cé a deir gur tír Chríostaí í seo?'* arsa Seáinín an Mhótair. Cad a thug air é seo a rá? Ar bhuail Máire le haon charthanacht Chríostaí ina saol?

Tréithe

Foghlaim na haidiachtaí agus na tréithe thíos.

◆	baintreach	*widow*
◆	triúr clainne uirthi	*three children*
◆	uaillmhianach	*ambitious*
◆	ceartaiseach	*self-righteous*
◆	cúistiúnach	*inquisitorial*
◆	sáiteach	*intrusive*
◆	domhaiteach	*unforgiving*
◆	fimíneach	*hypocritical*
◆	creidiúnach	*respectable*
◆	údarásach	*authoritative*
◆	tiarnúil	*domineering*
◆	coimeádach	*conservative*
◆	míchríostaí	*unchristian*
◆	míthrócaireach	*unmerciful*
◆	míthuisceanach	*intemperate / intolerant*
◆	míchineálta	*unkind*

Léigh an t-alt thíos faoin máthair agus ansin freagair na ceisteanna a ghabhann leis an alt.

Bhí saol an-chrua aici nuair a bhí na páistí óg

Níl aon dabht ach go raibh saol dian ag máthair Mháire. Fuair a fear céile bás nuair a bhí sí ag iompar clainne agus saolaíodh an páiste deiridh trí mhí ina dhiaidh sin. Bhí saol crua aici **ag sclábhaíocht** ar an bhfeirm agus dúirt sí go minic go raibh uirthi go leor **íobairtí** a dhéanamh ar son a páistí. Ach gheobhadh sí a duais nuair a bheadh Seán ina shagart, Máire ina bean rialta agus Liam i mbun na feirme. Bhí sí **uaillmhianach** agus bhí a saol leagtha amach aici dá páistí. Nuair a bhí Máire ag caint le Pádraig an chéad oíche sin, dúirt sí nach raibh a fhios aici féin an rachadh sí sna mná rialta ach gur dhóigh lena máthair go rachadh sí. Bhí sí **bródúil** – is dócha gur sin cuid den fháth go bhfuil an méid sin uafáis uirthi nuair a fhaigheann sí amach go bhfuil Máire **torrach**, ní thiocfaidh a cuid uaillmhianta i gcríoch.

Níl sí sásta aon fhreagracht a ghlacadh

Nuair atá sí sa chúirt ag tabhairt **fianaise** tá sí an-chosantach agus níl sí sásta aon fhreagracht a ghlacadh. Cheapfá go mbeadh brón agus **aiféala** de shaghas éigin uirthi anois, lena hiníon agus a gariníon marbh ach níl. '*Ach*

---

ag sclábhaíocht: *slaving*	**bródúil:** *proud*	**aiféala:** *regret*
íobairtí: *sacrifices*	**torrach:** *pregnant*	
uaillmhianach: *ambitious*	**fianaise:** *evidence*	

ní ormsa is cóir aon phioc den mhilleán a chur. Thóg mise go creidiúnach agus go críostúil í. Mé náirithe os comhair na gcomharsan.'

Tá sí ródhian ar a páistí	Máthair **thiarnúil chúistiúnach** agus **sáiteach** a bhí inti. D'admhaigh na buachaillí go raibh sí an-dian orthu agus go raibh siad faoina smacht. Bhí ar Liam agus ar Mháire éalú amach an fhuinneog chun bualadh lena leannáin. Feicimid chomh cúistiúnach agus sáiteach is atá sí nuair atá Liam ag iarraidh dul amach le Beití de Búrca – ceistíonn sí go géar é agus sa deireadh aontaíonn sé gan dul amach, cé go dtéann sé ann níos déanaí.
Cuireann sí an-bhéim ar an gcreideamh sa teach	Cuireann Bean Uí Chathasaigh an-bhéim ar an gcreideamh agus ar a bheith 'creidiúnach'. Feicimid an chlann agus **an Choróin Mhuire** á rá acu (agus an-bhéim ann ar **gheanmnaíocht**). Luann sí Dia go minic ach nuair a fhaigheann sí amach go bhfuil Máire ag iompar clainne is beag rian den Chríostaíocht atá le feiceáil. Tá sí **an-choimeádach**, **ceartaiseach** agus **fimíneach**. Cheap sí gur peaca é leanbh a bheith agat agus tú singil agus cheap sí mar sin go raibh an ceart ar fad aici an leanbh **sa bhroinn** a mharú, fiú luaigh sí Dia mar thacaíocht lena dearcadh *'Ní aon pheaca deireadh a chur le rud neamhghlan – rud a bhí mallaithe ag Dia agus ag duine.'*
Cúlchaint na gcomharsan	Cuireann an t-aturnae ina leith gurb iad tuairimí na gcomharsan is mó atá **ag dó na geirbe aici** agus caithimid aontú leis. Níor smaoinigh sí ar leas Mháire ach ar **chúlchaint** na gcomharsan. Ní fhíorofaí **a mianta** dá mbeadh a fhios ag an saol cad a bhí tite amach – bheadh na comharsana ag magadh agus ag gáire fúithi. Ar an ábhar sin nuair nár aontaigh Máire lena réitigh – fáil réidh leis an leanbh nó imeacht go Sasana. Dhíbir sí Máire ón teach – thréig sí a hiníon **in am an ghátair**.
Tréigeann sí a hiníon	Is iad na focail dheireanacha a chuala Máire óna máthair ná *'Mallacht ar an té a tharraing an náire seo anuas orainn. Agus mallacht Dé anuas ortsa, a . . . striapach.'* Focail **an-chruálach**, **míthrócaireach** agus **domhaiteach**.

---

tiarnúil: *domineering*	**sa bhroinn:** *in the womb*
cúistiúnach: *inquisitorial*	**ag dó na geirbe aici:** *bothering her*
sáiteach: *intrusive*	**cúlchaint:** *backbiting*
an Choróin Mhuire: *the Rosary*	**a mianta:** *her desires*
geanmnaíocht: *chastity*	**in am an ghátair:** *in time of need*
an-choimeádach: *very conservative*	**an-chruálach:** *very cruel*
ceartaiseach: *self-righteous*	**míthrócaireach:** *unmerciful*
fimíneach: *hypocritical*	**domhaiteach:** *unforgiving*

Ní raibh gaol
láidir aici lena
hiníon

Dúirt Máire nuair a bhí sí ag caint leis an oibrí sóisialta gurbh fhearr léi í féin **a bhá** ná dul ar ais abhaile – léiriú ar chomh dian, cruálach agus míchineálta is a bhí a muintir, go háirithe a máthair. Níor fíoraíodh aon cheann d'uaillmhianta na máthar, ní raibh bean rialta ná sagart ina clann agus ní raibh an chuma ar an sceal go bpósfadh Liam ach oiread. Ach is deacair aon trua a bheith againn di – bhí sí róthiarnúil agus ceartaiseach inti féin, agus fiú ag an deireadh nuair atá Máire agus a gariníon marbh ní ghlacann sí le haon chuid den **fhreagracht**, ní léiríonn sí aon bhrón ná tuiscint ar an scéal.

a bhá: *to drown*   **freagracht:** *responsibility*

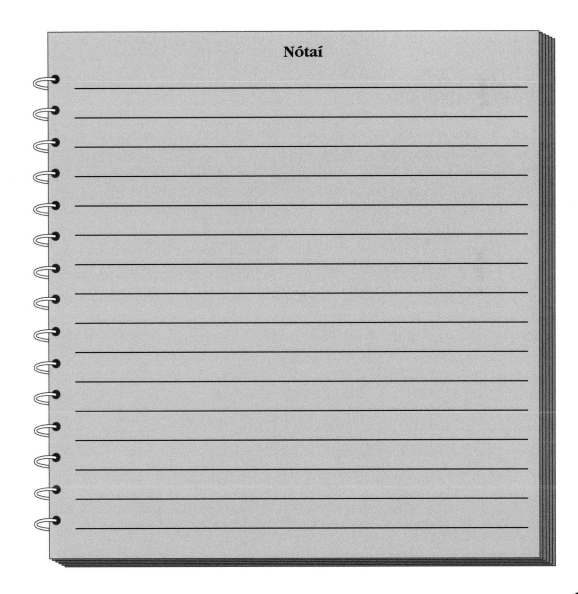

Nótaí

Ceisteanna Ranga – Pléigh na ceisteanna thíos sa rang

1. An mbaineann aon tréith chúiteach le máthair Mháire?
2. Cén fáth a raibh máthair Mháire ródhian ar a páistí?
3. *'Mallacht ar an té a tharraing an náire seo anuas orainn. Agus mallacht Dé anuas ortsa, a . . . striapach.'* Mínigh an abairt thuas.

Ceisteanna Scríofa

1. Scríobh alt gearr faoin tréith is láidre a bhaineann le máthair Mháire
2. Déan cur síos ar an bhfianaise a thugann máthair Mháire don chúirt.
3. Déan cur síos ar an oíche a fuair máthair Mháire amach go raibh sí ag iompar clainne.
4. Cén fáth ar thug sí an deoch dá hiníon? Céard a rinne Máire leis an deoch?

Ceisteanna Scrúdaithe

1. 'Sa dráma seo scrúdaíonn an t-údar dearcadh mícharthanach an phobail ar mháithreacha aonair.' É sin a phlé.
2. Is iomaí duine a chlis ar Mháire ina saol. É seo a phlé.
3. 'Muna ndéanann *An Triail* aon rud eile, taispeánann sé <u>fimíneacht</u> agus <u>easpa Críostaíochta</u> an phobail i leith máithreacha míphósta in Éirinn sna caogaidí/seascaidí.' Léirigh fírinne an ráitis sin.
4. Déan plé gairid ar an gcodarsnacht a bhí idir an bheirt charachtar, Bean Uí Chathasaigh, máthair Mháire, agus Mailí, an striapach. Déan tagairt speisialta don tionchar a bhí acu ar phríomhimeachtaí an dráma.

Tréithe

Foghlaim na haidiachtaí agus na tréithe thíos.

◆	an deartháir is sine	*the eldest brother*
◆	cosantach	*defensive*
◆	leithleasach	*selfish*
◆	lag	*weak*
◆	meata	*cowardly*
◆	glic	*sly*
◆	mídhílis	*disloyal*
◆	féinlárnach	*self-centred*
◆	sotalach	*arrogant*
◆	fimíneach	*hypocritical*
◆	míchineálta	*unkind*

Léigh an t-alt thíos faoi Liam agus ansin freagair na ceisteanna a ghabhann leis an alt.

Liam sa chúirt

Is é Liam an deartháir is sine atá ag Máire agus is é a thóg í go dtí an rince **cinniúnach** sin. Bhí sé **cosantach** agus é sa chúirt, **ag séanadh aon fhreagracht** as saol a deirféar. An chéad rud a dúirt sé sa chúirt ná '*Ach ní ormsa is cóir aon phioc den mhilleán a chur.*' Thóg sé Máire go dtí an damhsa toisc gur chuir a mháthair iachall air é a dhéanamh. Dúirt sé sa chúirt nárbh é **a coimeádaí** é agus go raibh sí aosta a dóthain chun dul abhaile léi féin.

D'éalaigh sé amach tríd an bhfuinneog

Bhí Liam faoi **bhois an chait** ag a mháthair agus ní raibh sé láidir a dhóthain chun seasamh roimpi. Bhí air éalú tríd an bhfuinneog chun bualadh lena chairde san oíche, agus dúirt sé le Seán nárbh fhiú dó dul sa tóir ar Bheití de Búrca agus é '*faoi smacht mo mháthar mar atáim.*'

Thuig sé a mháthair go maith

Bhí sé **géarchúiseach** go maith agus thuig sé a mháthair go maith. Thuig sé go raibh sí **uaillmhianach** agus nár theastaigh óna mháthair ach go léifí ar fhógra a báis ' . . . *cailleadh Máiréad, bean Uí Chathasaigh. Ise ba mháthair do Sheán Ó Cathasaigh, sagart paróiste . . . agus don Mháthair Columbán le Muire, misiunaí san Afraic.*'

cinniúnach: *fateful*	**a coimeádaí:** *her keeper*
cosantach: *defensive*	**bhois an chait:** *under the thumb*
ag séanadh: *denying*	**géarchúiseach:** *shrewd*
aon fhreagracht: *any responsibility*	**uaillmhianach:** *ambitious*

Níor sheas Liam lena dheirfiúr	Nuair a fuair a mháthair amach go raibh Máire ag iompar clainne níor sheas ná **níor thacaigh sé léi.** Dúirt sé go raibh an oíche loite aici. Nuair a bhuail Máire le Colm i mBaile Átha Cliath beagnach bliain ina dhiaidh sin is léir óna comhrá nach raibh aon **teagmháil** ag Liam lena deirfiúr ó d'fhág sí an baile. Bhí sé rólag chun seasamh roimh a mháthair agus níor thug sé a **dúshlán** faoina **dearcadh** ar an saol. Ghlac sé le h**údarás** a mháthar.
Bhris Beití an cleamhnas	Ag deireadh an dráma agus Máire marbh, deir sé gur bhris Beití **an cleamhnas** leis mar nár fhéad sí **an phoiblíocht** a sheasamh – b'fhéidir gur thuig Liam ansin cad é mar a bhí sé a bheith **tréigthe**.

---

níor thacaigh sé léi: *be did not support her*
teagmháil: *contact*
dúshlán: *challenge*
dearcadh: *outlook*

údarás: *authority*
an cleamhnas: *engagement*
an phoiblíocht: *the publicity*
tréigthe: *abandoned*

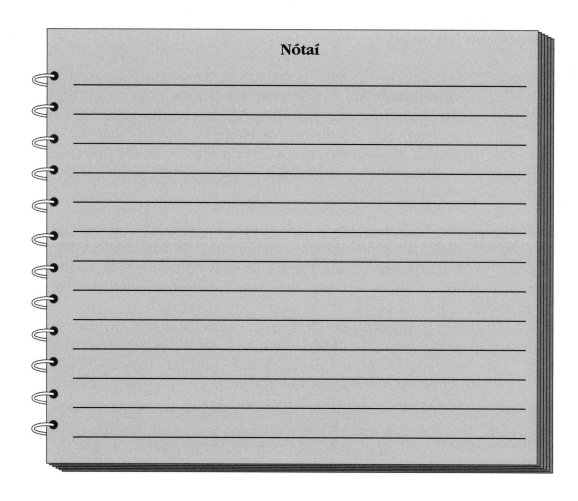

Nótaí

Ceisteanna Ranga – Pléigh na ceisteanna thíos sa rang

1. '. . . cailleadh Máiréad, bean Uí Chathasaigh. Ise ba mháthair do Sheán Ó Cathasaigh, sagart paróiste . . . agus don Mháthair Columbán le Muire, misiunaí san Afraic.' Cén fáth a ndúirt Liam na focail seo faoina mháthair?
2. An bhfuil trua againn do Liam ag deireadh an dráma?
3. Cén fáth nár thug Liam tacaíocht do Mháire?

Ceisteanna Scríofa

1. Déan cur síos ar an bhfianaise a thugann Liam don chúirt.
2. Scríobh alt gearr faoin tréith is láidre a bhaineann le Liam.
3. Cen fáth ar bhris Beití an cleamhnas leis?
4. Déan cur síos ar an gcomhrá a bhíonn idir Liam agus a mháthair faoi Bheití de Búrca.
5. An mbaineann aon tréith chúiteach le Liam?

Ceisteanna Scrúdaithe

1. 'Is iomaí duine a chlis ar Mháire ina saol.' É seo a phlé.
2. 'Is náireach an léiriú a thugtar dúinn ar shaol na hÉireann sna seascaidí.' Do thuairm faoi sin.

Tréithe

Foghlaim na haidiachtaí agus na tréithe thíos.

◆	glic	*sly*
◆	fimíneach	*hypocritical*
◆	meata	*cowardly*
◆	lag	*weak*
◆	míthrócaireach	*unmerciful*
◆	sotalach	*arrogant*
◆	mídhílis	*disloyal*
◆	féinlárnach	*self-centred*
◆	leithleach	*selfish*
◆	míchineálta	*unkind*

Léigh an t-alt thíos faoi Sheán agus ansin freagair na ceisteanna a ghabhann leis an alt.

Bhí muinín ag a mháthair as

Bhí sé ar intinn ag a mháthair, agus is dócha ag Seán, go rachadh sé le **sagartóireacht**. Dúirt a mháthair gurbh é an t-aon duine amháin a raibh **muinín** aici as agus is léir nach raibh a fhios aici go raibh sé glic agus ag cabhrú le Liam ag **éalú** tríd an bhfuinneog. Cosúil le Liam tá sé lag mar go n-**aithníonn sé** go bhfuil an mháthair ródhian ar Mháire ach **ní thugann sé a dúshlán**. '*Tá Mam ródhian uirthi. Tá sí dian orainn go léir, ach is déine í ar Mháire ná ar an mbeirt againne. Ní ligeann sí in áit ar bith í.*'

Sceitheann sé ar Mháire

Nuair a thosaíonn a mháthair **á cheistiú** faoi Mháire **sceitheann sé uirthi** agus insíonn sé di nach bhfuil Máire ag glacadh le Comaoineach Naofa ná ag dul chun na **faoistine** agus go mbíonn sí tinn go minic.

Níor thug sé aon chabhair do Mháire

Éiríonn le hAturnae Mháire fimíneacht Sheáin a thaispeáint go soiléir. Faigheann sé amach ó Sheán go bhfuil sé ag smaoineamh ar dhul le sagartóireacht, agus ansin cuireann sé na ceisteanna a théann **go croílár a chuid fimíneachta** – '*An ndearna tú aon iarracht ar ghrá Dé nó ar charthanacht Chríostaí a thaispeáint do do dheirfiúr? . . . An ndearna tú aon iarracht ansin ar í a chosaint ar do mháthair?*'

---

sagartóireacht: *priesthood*
muinín: *confidence*
éalú: *to escape*
aithníonn sé: *he recognises*
ní thugann sé a dúshlán: *he doesn't challenge her*

á cheistiú: *questioning him*
sceitheann sé uirthi: *he tells on her*
faoistin: *confession*
go croílár a chuid fimíneachta: *to the heart of his hypocrisy*

Tá Seán an-chosúil lena mháthair

Is léir ó na freagraí a thugann Seán ar na ceisteanna seo go bhfuil sé an-chosúil lena mháthair. Labhraíonn siad araon faoi Dhia, náire agus na comharsana. D'aontaigh sé leis na rudaí a rinne sí do Mháire mar dar leis, chiontaigh sí in aghaidh Dé. *'Tharraing sí náire shaolta orainn i láthair na gcomharsan. Loit sí an saol orainn. Chiontaigh sí in aghaidh Dé. Ba chóir a bheith dian uirthi. Bhí an ceart ag Mam. Bhí an ceart ar fad aici.'*

Bhí air éirí as an tsagartóireacht

Níor léirigh sé aon trua ná tuiscint di. Náirigh sí é agus **loit** sí an saol air agus bhí air éirí as an tsagartóireacht mar *'ní fhéadfainn aghaidh a thabhairt ar mo chomrádaithe sa choláiste.'* Is **iorónta** an rud é gurb é an duine is mó a labhraíonn faoi Dhia agus atá ag smaoineamh ar a shaol a chaitheamh le Dia, gurb eisean an duine **is nimhní** i gcoinne Mháire.

---

loit: *to ruin*   **iorónta:** *ironic*   **is nimhní:** *most poisonous*

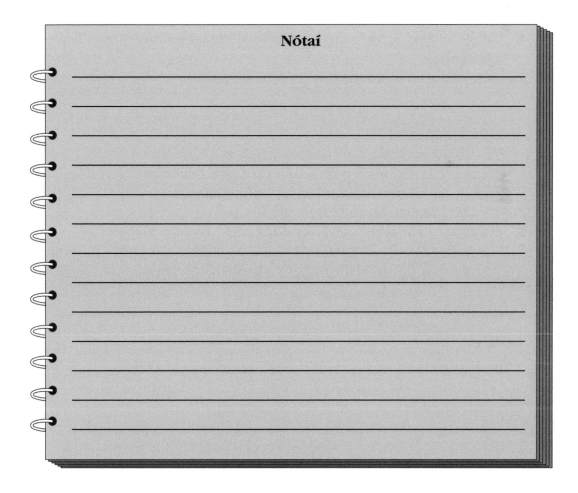

Nótaí

Ceisteanna Ranga – Pléigh na ceisteanna thíos sa rang

1. *'Tá Mam ródhian uirthi. Tá sí dian orainn go léir, ach is déine í ar Mháire ná ar an mbeirt againne. Ní ligeann sí in áit ar bith í.'* Mínigh an abairt seo.
2. An bhfuil trua ag léitheoirí do Sheán nuair a chloiseann siad go raibh air an coláiste oiliúna do shagairt a fhágáil?
3. An mbaineann aon tréith chúiteach le Seán?
4. *'Tharraing sí náire shaolta orainn i láthair na gcomharsan. Loit sí an saol orainn. Chiontaigh sí in aghaidh Dé. Ba chóir a bheith dian uirthi. Bhí an ceart ag Mam. Bhí an ceart ar fad aici.'* Pleigh na tuairimí seo a bhí ag Seán nuair a chuala sé faoina dheirfiúr ag iompar clainne.

Ceisteanna Scríofa

1. Déan cur síos ar an bhfianaise a thugann Seán don chúirt.
2. Scríobh alt gearr faoin tréith is láidre a bhaineann le Seán.
3. An mbaineann aon tréith chúiteach le Seán?
4. Déan cur síos ar an oíche a fhágann Máire an teach gan an Choróin Mhuire a chríochnú.
5. Cén fáth a raibh fearg ar Sheán lena dheirfiúr?

Ceisteanna Scrúdaithe

1. Déan plé ar an bpáirt a ghlacann do rogha beirt díobh seo thíos sa dráma agus ar an mbaint atá acu leis an bpríomhphearsa: Seán Ó Cathasaigh, Bean Uí Chinsealaigh, Mailí, Seáinín an Mhótair.
2. 'Is iomaí duine a chlis ar Mháire ina saol.' É seo a phlé.
3. *'Cé a deir gur tír Chríostaí í seo?'* arsa Seáinín an Mhótair. Cad a thug air é seo a rá? Ar bhuail Máire le haon charthanacht Chríostaí ina saol?

Tréithe

Foghlaim na haidiachtaí agus na tréithe thíos.

◆	bean mheánaicmeach	*middle-class woman*
◆	ina cónaí sa Ráth Garbh	*living in Rathgar*
◆	fiméineach	*hypocritical*
◆	bréagach	*false*
◆	glic	*sly*
◆	míchineálta	*unkind*
◆	míthuisceanach	*intemperate / intolerant*
◆	creidiúnach	*respectable*
◆	coimeádach	*conservative*
◆	mímhacánta	*dishonest*

Léigh an t-alt thíos faoin mbean uasal agus ansin freagair na ceisteanna a ghabhann leis an alt.

Bhí sí mímhacánta agus glic nuair a chuir sí fógra sa nuachtán

Is dócha go bhfuil ioróin sa teideal 'bean uasal'. Dúirt an bhean seo go raibh sí uasal agus creidiúnach ach **níor leasc léi** dúshaothrú a dhéanamh ar Mháire. Is léir go raibh sí glic mar go raibh cailín aimsire ag teastáil uaithi ach chuir sí fógra amach ag lorg 'cúntóir tíos' ar cheithre phunt sa tseachtain. Níor luaigh sí sa fógra go raibh cúigear clainne uirthi mar go raibh a fhios aici nach bhfaigheadh sí éinne chun an post a dhéanamh.

Bhí sí sásta le Máire agus bhí na páistí ceanúil uirthi

Nuair a tháinig Máire ag lorg an phoist ghlac sí léi gan aon **litir mholta** ach níor íoc sí ach dhá phunt is deich scilling di. D'admhaigh sí go ndearna Máire a cuid oibre go sásúil agus go raibh na páistí **ceanúil** uirthi. Bhí sí lánsásta le Máire go dtí go bhfaca sí go raibh sí 'trom'. Níor fhéad sí cailín torrach a choimeád sa teach – bhí uirthi smaoineamh ar a hiníonacha, ar a fear céile, ar na comharsana . . . Níor léirigh sí aon tuiscint do Mháire agus dá cruachás. *'Ní fhéadfainn iad a fhágáil i mbaol caidrimh lena leithéid. Cad a déarfadh na comharsana? Cad a déarfadh na cailíní eile ar scoil? Cad a déarfadh na mná rialta?'*

Thug sí fógra seachtaine do Mháire agus ghlaoigh sí ar an oibrí sóisialta

Thaispeáin Aturnae Mháire fiméineacht na mná seo. Bhí sí lánsásta dul sa seans agus coirpeach a bheith aici sa teach ag tabhairt aire dá páistí, ach chomh luath is a fuair sí amach go raibh Máire ag iompar clainne thug sí fógra seachtaine di ach thóg sí an t-oibrí sóisialta go dtí a teach chun **deighleáil** le fadhb Mháire. Níor phléigh sí an cheist le Máire in aon chor,

---

níor leasc léi: *she was not reluctant*
litir mholta: *reference*

ceanúil: *fond of*
deighleáil: *to deal with*

d'fhéach sí ar Mháire mar fhadhb agus bhí uirthi **fáil réidh léi**. '*Ba mhaith liom í a imeacht sula dtarraingeoidh sí náire orainn.*'

Tuairimí na gcomharsan is mó a bhí ag cur isteach uirthi

Nuair a rugadh leanbh Mháire thairg Bean Uí Chinsealaigh a post ar ais ina teach di, gan **an leanbh tabhartha** ar ndóigh. Is dócha gur cheap sí go raibh sí **carthanach** agus cineálta, ach cosúil le han-chuid daoine eile sa dráma seo, níor labhair sí le Máire faoina fadhb. Tuairimí na gcomharsan is mó a bhí **ag dó na geirbe aici**, rud a chuir sí in iúl ag an deireadh agus Máire marbh.

fáil réidh léi: *to get rid of her*	**carthanach:** *charitable*
an leanbh tabhartha: *the illegitimate child*	**ag dó na geirbe aici:** *bothering her*

Nótaí

Ceisteanna Ranga – Pléigh na ceisteanna thíos sa rang

1. '*Ní fhéadfainn iad a fhágáil i mbaol caidrimh lena leithéid. Cad a déarfadh na comharsana? Cad a déarfadh na cailíní eile ar scoil? Cad a déarfadh na mná rialta?*' Pléigh na habairtí thuas sa rang.
2. An mbaineann aon tréith chúiteach le Bean Uí Chinsealaigh? Cén fáth ar chuir Bean Uí Chinsealaigh fios ar an oibrí sóisialta?
3. '*Ba mhaith liom í a imeacht sula dtarraingeoidh sí náire orainn.*' Pléigh an abairt thuas sa rang.

Ceisteanna Scríofa

1. Déan cur síos ar an bhfianaise a thugann Bean Uí Chinsealaigh don chúirt.
2. Scríobh alt gearr faoin tréith is láidre a bhaineann le Bean Uí Chinsealaigh.
3. Déan cur síos ar an saol a bhí ag Máire ina teach.
4. Cén fógra a chuir sí sa nuachtán?
5. Cén fáth ar chuir sí fios ar an oibrí sóisialta?
6. Cén tairscint a thug sí do Mháire tar éis di an Teach Tearmainn a fhágáil?

Ceisteanna Scrúdaithe

1. Déan plé ar an bpáirt a ghlacann do rogha beirt díobh seo thíos sa dráma agus ar an mbaint atá acu leis an bpríomhphearsa: Seán Ó Cathasaigh, Bean Uí Chinsealaigh, Mailí, Seáinín an Mhótair.
2. 'Sa dráma seo scrúdaíonn an t-údar dearcadh mícharthanach an phobail ar mháithreacha aonair.' É sin a phlé.
3. 'Tá plota an dráma seo chomh tráthúil inniu is a bhí sé riamh.' É sin a phlé.
4. 'Is náireach an léiriú a thugtar dúinn ar shaol na hÉireann sna seascaidí.' Do thuairim faoi sin.

Tréithe

Foghlaim na haidiachtaí agus na tréithe thíos.

◆ réchúiseach	*relaxed*
◆ cineálta	*kind*
◆ cabhrach	*helpful*
◆ Críostaí	*Christian*
◆ tuisceanach	*understanding*
◆ beomhar	*lively*
◆ greannmhar	*funny*
◆ praiticiúil	*practical*
◆ spreagúil	*encouraging*
◆ taitneamhach	*pleasant*

Léigh an t-alt thíos faoi Mhailí agus ansin freagair na ceisteanna a ghabhann leis an alt.

Mailí sa Teach Tearmainn

Buailimid le Mailí don chéad uair sa Teach Tearmainn. Is léir go bhfuil sí réchúiseach mar go bhfuil sí ag gáire faoin **tseanmóir** a dúirt go raibh siad **uilig** ag dul ar **Ifreann**. Nuair a thagann Seáinín an Mhótair go dtí an **seomra níocháin** chun na héadaí nite a bhailiú, tá sí **ag spochadh** as agus ag magadh faoi go héadrom. Is í Mailí agus cailín eile, Nábla, a mhíníonn **córas na haltramachta** do Mháire. **Dealraíonn sé** go bhfuil Mailí lánsásta a leanbh a chur ar altramas ach nuair a leanann Máire á ceistiú faoi, éiríonn sí **feargach**, rud a thaispeánann go raibh sí míshásta faoi i ndáiríre, go raibh sí **ag fulaingt** ag fagáil a linbh ina diaidh.

Tógann sí Máire le cónaí léi

Is bean chineálta chabhrach í. Nuair a thiteann an teach anuas agus nuair atá Máire fágtha gan dídean, is í Mailí a thairgeann cabhair phraiticiúil. Tógann sí Máire go dtí a teach féin agus faigheann sí obair oiriúnach di a ligfeadh di fanacht sa bhaile lena hiníon. Ní chuireann sí **aon bhrú** uirthi agus ní cháineann sí í. Tuigeann sí grá Mháire dá páiste – míníonn sí ag an deireadh an fáth ar mharaigh Máire í féin *'Ní cheadódh sí an leanbh a dhul uaithi i ndorchacht na síoraíochta gan í féin a dhul in éineacht léi.'*

seanmóir: *sermon*	**córas na haltramachta**: *the adoption system*
uilig: *all*	**dealraíonn sé**: *it appears*
Ifreann: *hell*	**feargach:** *angry*
seomra níocháin: *washroom*	**ag fulaingt:** *suffering*
ag spochadh: *mocking*	**aon bhrú:** *any pressure*

Níl meas ag gnáthdhaoine ar Mhailí

Is duine **imeallach** í Mailí. Is léir go bhfuil **drochmheas** ag an tsochaí go léir uirthi. Glaonn Seáinín an Mhótair '***drochphingin***' uirthi agus **ba leasc leis** na hAturnaetha fiú labhairt léi. De réir an phobail is peacaí í ach is iorónta an rud é gur duine den bheagán í a thaispeánann **aon charthanacht** Chríostaí do Mháire. Sa radharc deiridh, molann sí Máire agus murab ionann is máthair agus muintir Mháire, **guíonn sí** ar a son.

---

imeallach: *marginalised*
drochmheas: *no respect*
drochphingin: *bad penny*

ba leasc leis: *he was reluctant*
aon charthanacht: *any charity*
guíonn sí: *she prays*

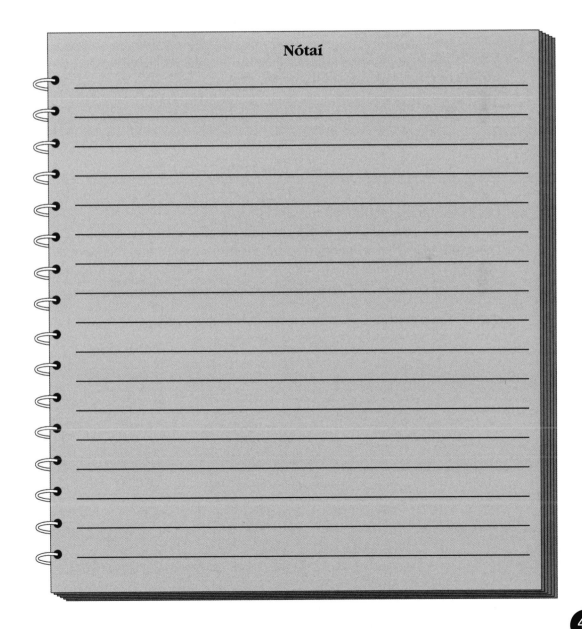

Nótaí

Ceisteanna Ranga – Pléigh na ceisteanna thíos sa rang

1. Pléigh an comhrá a bhíonn idir Mailí agus Máire faoi altramaithe sa Teach Tearmainn.
2. An bhfuil brón ar Mhailí nuair a thugann sí a leanbh suas do na haltramaithe?
3. '*Ní cheadódh sí an leanbh a dhul uaithi i ndorchacht na síoraíochta gan í féin a dhul in éineacht léi.*' Pléigh an abairt seo sa rang.

Ceisteanna Scríofa

1. Cén saghas duine í Mailí?
2. Cathain a bhuail Máire le Mailí i dtosach?
3. Céard a rinne Mailí nuair a chonaic sí Máire ar thaobh na sráide?
4. Scríobh alt gearr faoin tréith is láidre a bhaineann le Mailí.
5. Cén post a fuair Mailí do Mháire ina teach?

Ceisteanna Scrúdaithe

1. Déan plé ar an bpáirt a ghlacann do rogha beirt díobh seo thíos sa dráma agus ar an mbaint atá acu leis an bpríomhphearsa: Seán Ó Cathasaigh, Bean Uí Chinsealaigh, Mailí, Seáinín an Mhótair.
2. 'Tá plota an dráma seo chomh tráthúil inniu is a bhí sé riamh.' É sin a phlé.
3. Déan plé gairid ar an gcodarsnacht a bhí idir an bheirt charachtar, Bean Uí Chathasaigh, máthair Mháire, agus Mailí, an striapach. Déan tagairt speisialta don tionchar a bhí acu ar phríomhimeachtaí an dráma.

Tréithe

Foghlaim na haidiachtaí agus na tréithe thíos.

◆	goilliúnach	*sensitive*
◆	támáilte	*shy*
◆	bródúil	*proud*
◆	grámhar	*loving*
◆	saonta	*naïve*
◆	dílis	*loyal*
◆	láidir	*powerful*
◆	misniúil	*brave*
◆	místuama	*weak*
◆	éadóchasach	*despairing*
◆	díniteach	*dignified*

Léigh an t-alt thíos faoi Mháire agus ansin freagair na ceisteanna a ghabhann leis an alt.

Tá saol fothainiúil ag Máire

Nuair a bhuailimid le Máire don chéad uair, is cailín tamáilte ciúin í. Cosúil lena deartháireacha, tá sí **faoi bhois an chait ag** a máthair – mar shampla, is beag **taithí** atá aici ar rince mar '*ní ligeann mo mháthair dom dul ar na rincí.*'

Bhí sé an-éasca do Phádraig í a mhealladh

Tá sé beartaithe ag a máthair go rachaidh sí isteach sna mná rialta cé nach bhfuil sí féin róchinnte faoi. Is léir go raibh saol **an-fhothainiúil** aici, is dócha nach ndeachaigh sí amach le buachaill ar bith roimhe seo, gan trácht ar fhear. Bhí sé an-éasca do Phádraig í a mhealladh, chuir a chuid cainte aoibhneas uirthi. Bhí sí **an-saonta** agus chreid sí focail Phádraig – go bpósfadh sé í dá mbeadh sé saor, gurbh í a choimeád é féin agus a bhean lena chéile. Chreid Máire sa phósadh bréagach, cé nach raibh ach **cur i gcéill** ar siúl ag Pádraig. Mar a fheicimid ag deireadh an dráma nuair a bhuaileann Máire le Pádraig arís, chreid sí go dtiocfadh Pádraig chuici arís mar '*chuir tú fáinne ar mo mhéar. . . Leis an bhfáinne seo déanaim tú a phósadh.*'

Chuaigh Máire chun faoistine

Bhí **creideamh** láidir ag Máire agus thuig Pádraig go rómhaith go mbeadh rud cosúil le pósadh bréagach ag teastáil **chun í a mhealladh** go hiomlán.

---

faoi bhois an chait ag: *under the control of*	**cur i gcéill:** *pretending*
taithí: *experience*	**creideamh:** *belief / religion*
an-fhothainiúil: *very isolated*	**chun í a mhealladh:** *to entice her*
an-saonta: *very naïve*	

Bhí **coinsias** Mháire ag cur isteach uirthi mar go ndúirt sí le Pádraig go raibh **éagóir** á déanamh acu ar a bhean, ach d'éirigh le Pádraig a chur ina luí uirthi gur rud beannaithe a bhí eatarthu. Chuaigh Máire chun faoistine ina dhiaidh sin agus tuigimid cé chomh mór i ngrá is atá sí – dhiúltaigh sí apsalóid, rud **an-tromchúiseach** do chailín a tógadh le creideamh láidir a máthar, agus níor ghlac sí le Comaoineach Naofa ach oiread.

Fágadh ina haonar í

Is olc agus uaigneach an saol a bhí ag Máire tar éis dá máthair agus do Phádraig a fháil amach go raibh sí ag iompar clainne. Rinne a máthair iarracht **ginmhilleadh** a thabhairt di agus díbríodh í nuair nach raibh sí sásta glacadh le réiteach a máthar. Thréig Pádraig í agus ba bhrónach agus ba thruamhéileach an rud a dúirt Máire faoina saol ansin: '*An ród atá romham caithfidh mé aghaidh a thabhairt air i m'aonar.*' Bhí an ceart aici mar nach raibh aon chaidreamh aici lena muintir ina dhiaidh sin – nuair a bhí Colm ag caint léi is léir nach raibh nuacht an bhaile aici, mar ní raibh a fhios aici go raibh Liam ag smaoineamh ar phósadh.

Bhí saol crua ag Máire ina haonar lena leanbh

Saol míchairdiúil **doicheallach** a bhí roimpi ansin – chuir an bhean uasal amach óna teach í, chuir an t-oibrí sóisialta brú uafásach uirthi, agus léirigh na mná sa teach lóistín **dímheas** uirthi an t-am ar fad, fiú ba chuma leo faoina leanbh nuair a thit an teach anuas orthu.

Níor luaigh sí ainm Phádraig le duine ar bith

I rith an dráma ar fad, bhí Máire ag fás agus **ag forbairt** mar charachtar. Cailín ciúin **támáilte** a bhí inti ar dtús ach de réir mar a chuaigh a saol ar aghaidh fuair sí neart agus misneach. Ní ligfeadh a grá ná **a dílseacht** do Phádraig a ainm a lua le duine ar bith agus **rith sé lena chluain** ar fad. Ní ligfeadh a grá dá hiníon í a mharú sa bhroinn, agus nuair atá sí saolta, í a thabhairt suas ar altramas agus fuair sí **neart** iontach chun **an corás**, i bhfoirm an oibrí shóisialta, a throid. Chuir sí olc ar an oibrí sóisialta nuair a cheistigh sí a fimíneacht – cén fath, má bhí a hiníon maith go leor do na haltramaithe, nárbh fhéidir le Bean Uí Chinsealaigh glacadh leis an mbeirt acu? Nuair a chinn sí ar deireadh a hiníon a shábháil go deo **ó fhealltacht na bhfear**, mharaigh sí í féin chun a bheith léi '*i ndorchacht na síoraíochta.*'

Máire ina haonar

Tá bá agus trua an léitheora le Máire tríd an dráma. Bhí Máire i gcónaí **deighilte** ón tsochaí ina raibh sí – ní raibh **gnáth-thaithí** an tsaoil aici ar

---

coinsias: *conscience*	**a dílseacht:** *her loyalty*
éagóir: *injustice*	**rith sé lena chluain:** *she carried the burden of her secret alone*
an-tromchúiseach: *very serious*	
ginmhilleadh: *abortion*	**neart:** *strength*
doicheallach: *unwelcoming*	**an corás:** *the system*
dímheas: *disrespect*	**ó fhealltacht na bhfear:** *from the treachery of men*
ag forbairt: *developing*	**deighilte:** *separated*
támáilte: *quiet*	**gnáth-thaithí:** *ordinary experience*

dtús, nuair a bhí sí sa Teach Tearmainn bhí sí ina suí i leataobh ó na cailíní eile agus dar leis na mná sa teach lóistín bhí sí 'rómhór dá bróga.'

Bhí Máire lán le neart

Bhí Máire **goilliúnach** agus bródúil chomh maith. Nuair a cheap sí go raibh an bhean uasal ag iarraidh fáil réidh léi, agus nuair a cheap sí go raibh Mailí **ag clamhsán** fúithi a bheith sa teach, dúirt sí go n-imeodh sí láithreach. Nuair a bhí an t-oibrí sóisialta **ag tathaint** uirthi dul abhaile, dúirt sí gurbh fhearr léi í féin a bhá san abhainn agus dúirt sí le Mailí gurbh fhearr léi bás den **ghorta** ná cabhair a lorg ar athair a linbh.

Mhaslaigh Pádraig í ar deireadh

Níl aon amhras faoi ach go raibh an-ghrá ag Máire do Phádraig. Níor luaigh sí a ainm le duine ar bith (sin an fáth nár glaodh air chun **fianaise** a thabhairt ag triail Mháire). Nuair a fuair sí amach ó Cholm go raibh Pádraig ina bhaintreach agus saor chun í a phósadh, feicimid an grá agus an **dóchas** a bhí folaithe inti ag teacht thar n-ais. Bhí sí lánchinnte go dtiocfadh sé chuici agus is brónach an radharc é ag an deireadh nuair a chuir Pádraig in iúl nach raibh aon suim aige inti ná ina n-iníon. **Mhaslaigh sé** an cailín dílis saonta nuair a ghlaoigh sé **striapach** uirthi. Bhí sé mar a bheadh dallamullóg ag titim dá súile agus thuig sí ansin gurbh **óinsín bhog ghéilliúil** í. Bhí sí go **dubhach** brónach ansin agus í in umar na haimiléise – mharaigh sí an iníon dár thug sí grá a croí agus chuir sí lámh ina bás féin ansin.

Lig sí saor é nuair a fuair sí bás

Má táimid chun aon cháineadh a dhéanamh ar charachtar Mháire, d'fhéadfaimis a rá go raibh sí místuama ina dílseacht do Phádraig. Lig sí saor dó agus fiú nuair a chonaic sí é le Mailí tar éis dó pósadh athuair níor sceith sí air. Is íobartach í – in ionad dul ar aghaidh lena saol agus seans a thabhairt dá hiníon maireachtáil, mharaigh sí an bheirt acu. B'uafásach an rud a rinne sí ag an deireadh, ní raibh an ceart aici a hiníon a mharú, bhí a réiteach ar fhealltacht na bhfear i bhfad **ró-antoisceach**. Ag an am céanna caithfimid **a admháil** gurbh uafásach an saol a bhí agus a bheadh aici i dtír Chríostaí na hÉireann. Níor bhuail sí le mórán cineáltais ó bhí an leanbh aici agus is dócha go leanfadh an saol ar aghaidh mar sin. Pé scéal é, bhí críoch an-tragóideach le saol Mháire agus is léiriú scannalach é **ar fhimíneacht na tíre.**

goilliúnach: *sensitive*	**striapach:** *prostitute*
ag clamhsán: *joking*	**óinsín bhog ghéilliúil:** *soft submissive fool*
ag tathaint: *pressurising*	**dubhach:** *gloomy*
gorta: *famine*	**ró-antoisceach:** *too extreme*
fianaise: *evidence*	**a admháil:** *to admit*
dóchas: *hope*	**fimíneacht na tíre:** *the hypocrisy of the country*
mhaslaigh sé: *he insulted*	

Ceisteanna Ranga – Pléigh na ceisteanna thíos sa rang

1. *'An ród atá romham caithfidh mé aghaidh a thabhairt air i m'aonar.'* É seo a phlé.
2. 'Chruthaigh Ní Ghráda pearsa saonta dochreite i Máire.' An ráiteas seo a phlé.
3. 'Sa dráma seo scrúdaíonn an t-údar dearcadh mícharthanach an phobail ar mháithreacha aonair.'

Ceisteanna Scríofa

1. Déan cur síos ar an gcéad oíche a bhuail Máire le Pádraig.
2. Cén fáth nach raibh taithí ag Máire ar rincí?
3. Cén fáth ar éalaigh sí tríd an bhfuinneog istoíche?
4. Déan cur síos ar an oíche a fuair a máthair amach go raibh sí ag iompar clainne.
5. Scríobh alt gearr ar an bpósadh bréagach.
6. Cén fáth ar thréig Pádraig Máire?
7. Déan cur síos ar an gcomhrá a bhí ag Máire leis an oibrí sóisialta i Ráth Garbh.
8. Cén saghas saoil a bhí ag Máire nuair a d'fhág sí an Teach Tearmainn?
9. Céard a tharla do Mháire nuair a thit an teach anuas?
10. Cén saghas saoil a bhí ag Máire i dteach Mhailí?
11. Conas a mhothaigh Máire nuair a chuala sí ó Cholm go raibh bean Phádraig marbh?
12. Déan cur síos ar an gcomhrá a bhí idir Pádraig agus Máire ag deireadh an dráma.
13. Cén fáth ar mharaigh sí a hiníon?

Ceisteanna Scrúdaithe

1. 'Ní raibh i ndán do Mháire Ní Chathasaigh ón tús ach brón agus tragóid.' É sin a phlé.
2. 'Mharaigh mé mo leanbh de bhrí gur cailín í. Tá sí saor. Ní bheidh sí ina hóinsín bhog ghéilliúil ag aon fhear.' Déan plé ar an abairt thuas maidir le pearsa Mháire sa dráma *An Triail*.
3. 'Cruthaíonn Máiréad Ní Ghráda pearsana drámata den scoth.' É sin a phlé.

Tréithe

Foghlaim na haidiachtaí agus na tréithe thíos.

◆	cara leis an mbean uasal	*friends with the woman*
◆	deimhnitheach	*self-assured*
◆	ceartaiseach	*insistent*
◆	béalchráifeach	*sanctimonious*
◆	míghoilliúnach	*insensitive*

Léigh an t-alt thíos faoi Áine agus ansin freagair na ceisteanna a ghabhann leis an alt.

Fuair sí áit do Mháire sa Teach Tearmainn

Is é gnó Áine Ní Bhreasail ná a bheith '*ag plé le cailíní bochta*', leithéidí Mháire. Buailimid léi den chéad uair nuair a thagann sí go dtí teach a carad, an bhean uasal, sa Ráth Garbh. Chuir an bhean fios uirthi mar '*ní dhéanfadh sé an gnó í* [Máire] *a choinneáil sa teach a thuilleadh*.' Rinne sí iarracht fios a gnó a fháil ó Mháire ach bhí sí **rúnda** agus ní thabharfadh sí aon eolas di. Tá sí **coimeádach** agus **creidiúnach** cosúil leis an mbean uasal agus glacann sí leis nach féidir lena cara cailín torrach a bheith sa teach léi, nó níos measa, cailín singil agus leanbh tabhartha. '*Ní hamhlaidh a bheifeá ag súil go ligfeadh bean chreidiúnach leanbh tabhartha isteach ina teach i dteannta a clann iníon féin.*' Nuair ba léir nár mhaith le Máire filleadh abhaile **d'áitigh sí uirthi** dul isteach sa Teach Tearmainn ach níor inis sí córas na haltramachta di – ní raibh a fhios ag Máire go mbéifí ag súil go gcuirfeadh sí a leanbh ar altramas.

Cuireann sí brú ar Mháire a leanbh a thabhairt suas

Bhí Áine **lándeimhnitheach** de rudaí agus níor cheistigh sí an córas riamh. Níos faide ar aghaidh déanann sí iarracht áiteamh ar Mháire **scaradh** lena hiníon. Tá na **seanargóintí** go léir aici – go mbeadh tuismitheoirí creidiúnacha aici, agus go mbeadh Máire in ann dul ar aghaidh lena saol agus b'fhéidir fear a phósadh amach anseo. Briseann ar **a foighne** sa deireadh nuair is léir go bhfuil Máire chun a leanbh a choimeád. Deir sí go bhfuil Máire stuacach **ceanndána** agus leithleasach. Is léir nach bhfuil

rúnda: *secretive*	**scaradh:** *to separate*
coimeádach: *conservative*	**seanargóintí:** *old arguments*
creidiúnach: *respectable*	**a foighne:** *her patience*
d'áitigh sí uirthi: *she tried to convince her*	**ceanndána:** *headstrong*
lándeimhnitheach: *full certain*	

mórán measa aici ar Mháire ná ar chailíní dá leithéid mar go ndeir sí go rachaidh a hiníon **ar bhóthar a haimhleasa** má fhanann sí le Máire. '*Ach caithfidh tú cuimhneamh ar leas do linbh. Ma choinníonn tú féin í, cad a bheidh i ndán di, ach í a dhul ar bhealach a haimhleasa . . .*'

Ní maith leis na cailíní sa Teach Tearmainn í

Ní thaitníonn an bhean seo leis na cailíní eile sa Teach Tearmainn mar go dtugann siad an leasainm 'Áine an Bhéil Bhinn' uirthi. Níl éinne ag iarraidh labhairt léi agus ritheann Mailí amach **chun í a sheachaint**. Dar le hÁine, rinne sí a dícheall do Mháire. Bhí an ceart aici, i bhfianaise gach ar tharla do Mháire ina dhiaidh sin, '*Ní haon doichín do chailín óg leanbh tabhartha a bheith aici.*'

ar bhóthar a haimhleasa: *on the road to destruction*   **chun í a sheachaint:** *to avoid her*

Nótaí

Ceisteanna Ranga – Pléigh na ceisteanna thíos sa rang

1. *'Ach caithfidh tú cuimhneamh ar leas do linbh. Ma choinníonn tú féin í, cad a bheidh i ndán di, ach í a dhul ar bhealach a haimhleasa . . .'* An ráiteas seo a phlé.
2. *'Ní hamhlaidh a bheifeá ag súil go ligfeadh bean chreidiúnach leanbh tabhartha isteach ina teach i dteannta a clann iníon féin.'* An ráiteas seo a phlé.
3. 'Dráma ina gcuirtear ceisteanna crua faoi shaol na hÉireann é *An Triail*.' É sin a phlé i gcás do rogha dhá cheann de na 'ceisteanna crua' sin.

Ceisteanna Scríofa

1. Cén fáth ar ghlaoigh Bean Uí Chinsealaigh ar Áine?
2. Luaigh tréith amháin a bhaineann léi.
3. Déan cur síos ar an gcómhrá a bhí idir Áine agus Máire i dteach Bhean Uí Chinsealaigh.
4. Cén fáth nach raibh na cailíní ag iarraidh labhairt léi sa Teach Tearmainn?
5. Cén fáth ar chuir Áine brú ar Mháire a hiníon a thabhairt suas?

Ceisteanna Scrúdaithe

1. 'Muna ndéanann *An Triail* aon rud eile, taispeánann sé <u>fimíneacht</u> agus <u>easpa Críostaíochta</u> an phobail i leith máithreacha míphósta in Éirinn sna caogaidí/seascaidí.' Léirigh fírinne an ráitis sin.
2. Luaigh agus léirigh príomhbhua amháin agus príomhlaige amháin a bhaineann leis an dráma seo, dar leat.
3. Déan plé ar an bpáirt a ghlacann do rogha beirt díobh seo thíos sa dráma agus ar an mbaint atá acu leis an bpríomhphearsa: Áine Ní Bhreasail, Bean Uí Chinsealaigh, Mailí, Seáinín an Mhótair.

Tréithe

Foghlaim na haidiachtaí agus na tréithe thíos.

◆	**míthuisceanch**	*lack of understanding*
◆	**bocht**	*poor*
◆	**míthrócaireach**	*unmerciful*
◆	**doicheallach**	*unwelcoming*
◆	**míchríostaí**	*unchristian*
◆	**míchairdiúil**	*unfriendly*
◆	**garbh**	*rough*
◆	**ag magadh faoi Mháire**	*mocking Máire*

Léigh an t-alt thíos faoi na mná sa teach lóistín agus ansin freagair na ceisteanna a ghabhann leis an alt.

Ní raibh siad cairdiúil le Máire

Feicimid ó na mná bochta seo nach raibh mórán trua ná tuisceana le fáil ag Máire ó éinne sa saol. Bhí na mná seo chomh crua agus míthrócaireach is a bhí an bhean uasal agus máthair Mháire, daoine níos 'uaisle' ná iad. Lig bean amháin seomra ar cíos le Máire agus thug sí aire do Phádraigín, leanbh Mháire, nuair a bhíodh Máire amuigh ag obair, ag glanadh na leithreas sa mhonarcha. Dúirt an bhean seo go raibh a fhios aici i gcónaí nach raibh Máire pósta riamh, nár bhaintreach í (cé go ndúirt sí uair eile go mbeadh Máire ag fáil **phinsean na mbaintreach**).

Níor thug siad tacaíocht do Mháire

Nuair a thit an teach anuas, níor smaoinigh an bhean chéanna ar Phádraigín a shábháil (dochreidte i ndáiríre) agus bhí ar Mháire féin rith isteach sa teach agus Pádraigín a thógáil slán amach. Cosúil leis an Teach Tearmainn, is léir go raibh Máire scartha amach ó na daoine seo mar go raibh siad doicheallach roimpi. Ní raibh éinne sásta 'bheith istigh' a thabhairt di mar go ndúirt siad gur **stráinséir** a bhí inti, go raibh sí **neamhchairdiúil** agus **neamh-mhuinteartha**, go raibh sí '*mór inti féin*,' '*rómhór dá bróga*' agus '*gan aici ach leanbh tabhartha*.'

Ní raibh trua acu do Mháire

Bhí an dearcadh **breithiúnach, neamhthrócaireach** céanna acu is a bhí ag beagnach gach duine eile sa tsochaí ag an am. Ní raibh Máire pósta, choimeád sí a leanbh agus mar sin ní raibh, agus ní bheadh, trua tuillte aici ó éinne, bocht nó saibhir.

---

pinsean na mbaintreach: *the widows' pension*
stráinséir: *stranger*
neamhchairdiúil: *unfriendly*

neamh-mhuinteartha: *un-neighbourly*
breithiúnach: *judgemental*
neamhthrócaireach: *unmerciful*

Ceisteanna Ranga – Pléigh na ceisteanna thíos sa rang

1. 'Dráma ina gcuirtear ceisteanna crua faoi shaol na hÉireann é *An Triail*.' An ráiteas seo a phlé.
2. 'Sa dráma seo scrúdaíonn an t-údar dearcadh mícharthanach an phobail ar mháithreacha aonair.' É sin a phlé.

Ceisteanna Scríofa

1. Cén fáth a raibh na mná neamhchairdiúil agus neamh-mhuinteartha nuair a thit an teach anuas ar leanbh Mháire?
2. Luaigh na tréithe a bhaineann leis na mná seo sa dráma.

Ceisteanna Scrúdaithe

1. 'Is iomaí duine a chlis ar Mháire ina saol.' É seo a phlé.
2. 'Cruthaíonn Máiréad Ní Ghráda pearsana drámata den scoth.' É sin a phlé.

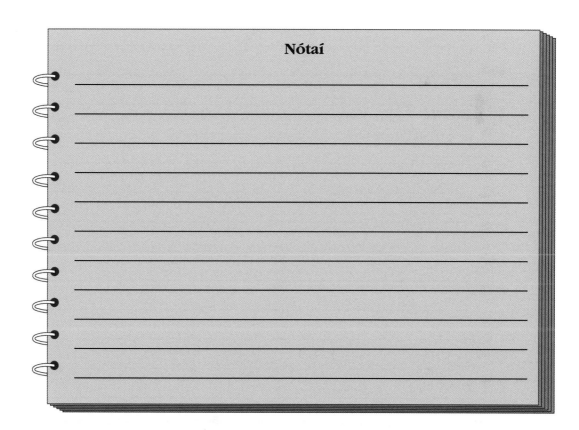

Nótaí

Nótaí

3

Ceist 1.

'Ní éiríonn leis an dráma seo toisc nach bhfuil aon inchreidteacht ag baint leis an bplota ann.' É seo a phlé.

Freagra samplach:

tús

Ní aontaím leis an ráiteas sin thuas in aon chor. Éiríonn **thar cionn** leis an dráma seo fimíneacht agus **easpa carthanachta agus cineáltais** mhuintir na hÉireann a léiriú dúinn. **Plota sochreidte** amach is amach atá ann – cailín óg singil atá **torrach** agus a dhíbhrítear as a baile agus as an tsochaí. Le blianta beaga anuas tá na meáin chumarsáide líon lán de scéalta faoi chailíní óga mar sin agus an droch-chaoi a gcaití leo. Léiríonn Máiréad Ní Ghráda an tionchar a bhí ag sochaí chrua agus mhíthuisceanach ar chailíní leochaileacha aonaracha. Tiomáineadh Máire chun **dúnmharaithe** agus chun lámh a chur ina bás féin mar gheall ar an **drochíde** a fuair sí ó bheagnach gach duine sa tsochaí Chríostaí sin.

lár

Bhí máthair Mháire ar buile nuair a fuair sí amach go raibh Máire ag iompar. Bheadh sí náirithe os comhair na gcomharsan. Níor phléigh sí a cruachás le Máire ach dúirt sí léi go gcaithfeadh sí an t-athair a phósadh, ansin rinne sí iarracht an leanbh **sa bhroinn a ghinmhilleadh** agus nuair nach raibh Máire sásta le ceachtar den dá réiteach sin, **dhíbir sí** amach as an teach í. B'iomaí máthair a bhí mar sin in Éirinn fadó.

Ina dhiaidh sin bhí Máire ag obair **do bhean mheánaicmeach** a dhíbir Máire chomh luath is a fuair sí amach go raibh Máire torrach. Níor ghlac an tsochaí le cailíní **neamhphósta** ag iompar clainne agus **b'ionadaí na sochaí sin** an bhean uasal sin. Bhí ar an mbean uasal smaoineamh ar leas a cuid iníonacha, níor mhaith léi go mbéidís **truaillithe** ag caidreamh le leithéidí Mháire.

Ina dhiaidh sin fuair Máire í féin sa Teach Tearmainn, réiteach an stáit ar fhadhb na gcailíní sin. Bhí an-chuid de na tithe tearmainn sin ar fud na hÉireann ag an am, is beag baile mór (ná fiú beag) in Éirinn gan a cheann féin. D'fhoghlaim Máire an córas ansin, córas a dúirt léi go raibh uirthi **scarúint** lena leanbh. Throid sí an córas nuair a dhiúltaigh sí a hiníon a chur ar altramas. I ndáiríre ní raibh Máire láidir go leor don troid sin mar go raibh gach rud ina coinne. Ní bhfuair sí cabhair ar bith ó éinne seachas

lár

Mailí, bean eile a bhí ar imeall na sochaí. D'imigh an spiorad go léir ó Mháire ag an deireadh tar éis di bualadh le Pádraig arís agus fágadh **in umar na haimiléise** í. Nuair a d'imigh an dóchas deiridh, buadh uirthi.

críoch

Cuireann eachtra Mháire uafás orainn ach tar éis an dráma a léamh agus a thuiscint, tuigimid conas a chaill sí a meabhair agus a rinne sí an gníomh uafásach sin. Ar an drochuair, is léir go raibh an plota thar a bheith sochreidte.

---

thar cionn: *very well*

easpa carthanachta agus cineáltais: *a lack of charity and kindness*

plota sochreidte: *believable plot*

torrach: *pregnant*

dúnmharú: *murder*

drochíde: *abuse*

sa bhroinn: *in the womb*

a ghinmhilleadh: *to abort*

dhíbir sí: *she banished*

bean mheánaicmeach: *a middle-class woman*

neamhphósta: *unmarried*

b'ionadaí na sochaí sin: *she was representative of that society*

truaillithe: *poisoned*

scarúint: *separate*

in umar na haimiléise: *in the depths of depression*

Obair Ranga

1. Pléigh an cheist thuas sa rang. An aontaíonn tú leis an bhfreagra thuas?
2. Ullmhaigh plean don fhreagra thuas. Céard iad na samplaí ón dráma a úsáidtear sa fhreagra. An bhfuil samplaí eile ar eolas agat?
3. Léigh tús an fhreagra arís. An dtugann an chéad alt téama an dráma dúinn?
4. Foghlaim na línte tábhachtacha ón gcéad alt.

Ceist 2.

'Is ar éigean a d'fhéadfaí a rá go bhfuil duine amháin de na pearsana in *An Triail* sochreidte. Níl iontu ach "pearsana adhmaid" dá bhfórmhór.' É sin a phlé.

Freagra samplach:

Ní aontaím leis an tuairim seo in aon chor. Pearsana sochreidte atá sa dráma, go háirithe pearsana Phádraig agus Mháire.

Ní féidir a rá gur **pearsa adhmaid** é Pádraig Mac Cárthaigh. Cuireann sé **déistin** agus fearg ar gach éinne a léann an dráma seo, rud nach ndéanfadh pearsa adhmaid. Is **bithiúnach** suarach a bhí ann a mhill an-chuid saolta. Nuair a bhuail sé le Máire bhí sé pósta cheana féin, le bean a bhí go dona tinn. Ní raibh sé saor chun dul amach le bean eile ach ba chuma leis. Bhí sé leithleasach agus ag smaoineamh air féin. Labhair sé faoi **chnaimseáil** a mhná agus faoi na **blianta de phurgadóireacht** a bhí roimhe léi. Níor léirigh sé aon trua di, eisean a bhí **ag fulaingt**, a bhí thíos le tinneas a mhná. Mheall sé Máire go héasca. Bhí sé plámásach léi, ag caint faoin *'bhfiántas a bhí folaithe ina dá súl'* agus ag rá nár cheart di dul isteach i g**clochar**. Thuig sé go raibh coinsias Mháire ag cur isteach uirthi agus ar an ábhar sin rinne sé an pósadh bréagach léi. Nuair a bhí sé críochnaithe léi, ámh, nuair a fuair sé amach go raibh sí ag iompar clainne, thréig sé í.

Mhill sé saol Mháire nuair a **mhaslaigh sé í** agus nuair a ghlaoigh sé striapach uirthi. Cuireann sé an lucht féachana **ar mire** nuair a thagann sé go dtí teach Mhailí – ní hamháin gur chuir sé cluain ar a chéad bhean chéile nuair a bhí sí ag saothrú an bháis ach déanann sé an rud céanna dá dhara bean chéile. **Bréagadóir cluanach** atá ann, ní pearsa adhmaid.

Ní pearsa adhmaid in aon chor í Máire. Tháinig fás agus **forbairt shuntasach** uirthi i rith an dráma, ó chailín óg soineanta go dtí bean láidir a rinne iarracht an córas fimíneach a throid. Musclaíonn sí **bá** agus trua ionainn, rud nach ndéanfadh pearsa 'adhmaid'. Trína carachtar d'éirigh le Máiréad Ní Ghráda uafás an tsaoil ag an am a thaispeáint dúinn. Fásann an t-uafás ionainn chomh maith nuair a thuigimid gur beag seans a bhí ag aon chailín óg **leochaileach** a bhí tréigthe ag an tsochaí aon chineál saoil a dhéanamh di féin ná dá leanbh. Rinne sí tréaniarracht post a fháil agus dul ar aghaidh go neamhspleách ach bhí gach rud **ina coinne**, óna muintir féin go dtí an bhean uasal go dtí na mná bochta sa teach lóistín a d'fhág Pádraigín sa teach nuair a thit sé anuas orthu. Ní pearsa adhmaid a chuaigh isteach *'i ndorchadas na síoraíochta'* lena leanbh ach **bean thruamhéileach** a bhí **cloíte** agus briste ag an tsochaí, ag a muintir agus ag an bpobal i gcoitinne.

pearsa adhmaid: *wooden character*	**bréagadóir:** *liar*
déistin: *disgust*	**cluanach:** *deceitful*
bithiúnach: *rascal*	**forbairt shuntasach:** *noticeable development*
cnaimseáil: *complaining*	**bá:** *sympathy*
blianta de phurgadóireacht: *years of purgatory*	**leochaileach:** *fragile*
ag fulaingt: *suffering*	**ina coinne:** *against her*
clochar: *convent*	**bean thruamhéileach:** *a pitiful woman*
mhaslaigh sé í: *he insulted her*	**cloíte:** *defeated*
ar mire: *very annoyed*	

Obair Ranga

1. Léigh an t-alt thuas agus pléigh an t-ábhar sa rang.
2. Cén saghas duine é Pádraig?
3. An aontaíonn tú leis na tuairimí a nochtar sa chéad alt faoi?
4. Céard a cheapann tú faoi Mháire? Ar fhás sí ó thús go deireadh an dráma?

Ceist 3

Inis cad é príomhthéama an dráma seo, agus scríobh tuairisc ar an bhforbairt a dhéantar ar an bpríomhthéama sin i rith an dráma.

Freagra samplach:

> Foghlaim na habairtí sa chló dubh.

Is é fimíneacht mhuintir na hÉireann sna seascaidí is príomhthéama an dráma seo. Bean óg shoineanta ab ea Máire Ní Chathasaigh a tógadh 'go creidiúnach agus go críostúil'. Ba mhian lena máthair go mbeadh sí ina bean rialta agus cuireadh an-bhéim ar an g**creideamh** ina teach (feicimid an teaghlach ar a nglúine ag rá an Choróin Mhuire). **Luann sí Dia go minic ach nuair a fhaigheann sí amach go bhfuil Máire ag iompar clainne is beag rian den Chríostaíocht atá le feiceáil.** Cheap sí gur pheaca é leanbh a bheith agat agus tú singil agus cheap sí mar sin go raibh sí láncheart an leanbh sa bhroinn a mharú, fiú luaigh sí Dia mar thacaíocht lena dearcadh '*Ní aon pheaca deireadh a chur le rud neamhghlan – rud a bhí mallaithe ag Dia agus ag duine.*'

Nuair nach bhfuil a hiníon sásta glacadh le réiteach na máthar dhíbir sí Máire ón teach. **Tá sí an-fhimíneach mar go raibh sí ní ba bhuartha faoi thuairim na gcomharsan ná mar a bhí sí faoi leas a hiníne féin. Feicimid go bhfuil deartháir Mháire chomh fimíneach lena mháthair** – ba mhaith leis a bheith ina shagart ach tá sé féin chomh nimhneach agus cruachroíoch lena mháthair nuair a fhaigheann sé amach faoi thoircheas Mháire. Dar leis chiontaigh Máire in aghaidh Dé nuair a d'éirigh sí torrach.

Déanann Máiréad Ní Ghráda forbairt ar an téama seo nuair a leanann sí leis an léiriú ar shaol Mháire agus í i bhfad óna muintir. Nuair a díbríodh í óna teach chuaigh sí ag obair do Bhean Uí Chinsealaigh, an bhean uasal. Dúirt an bhean seo go raibh sí uasal agus **creidiúnach** ach níor leasc léi **dúshaothrú** a dhéanamh ar Mháire. **D'fhostaigh sí** Máire (gan aon **litir mholta**) ar dhá phunt deich scilling sa tseachtain cé go raibh ceithre phunt luaite san fhógra. Ag an triail d'admhaigh sí go ndearna Máire a cuid oibre go sásúil agus go raibh na páistí ceanúil uirthi. Bhí sí lánsásta le Máire go dtí go bhfaca sí go raibh sí 'trom'. Níor fhéad sí cailín torrach a choimeád sa teach – bhí uirthi smaoineamh ar a hiníonacha, ar a fear céile, ar na comharsana . . . **Níor thaispeáin sí aon tuiscint do Mháire agus dá cruachás.**

Thaispeáin an tAturnae fimíneacht na mná seo. Bhí sí lánsásta dul sa seans agus **coirpeach** a bheith aici sa teach ag tabhairt aire dá páistí, ach chomh luath is a fuair sí amach go raibh Máire ag iompar clainne thug sí fógra seachtaine di ach thóg sí an t-oibrí sóisialta go dtí a teach chun deighleáil le fadhb Mháire.

Ní hé go raibh **mná an íosaicme,** na mná sa teach lóistin, pioc níos fearr. Bhí siad **ag féachaint anuas uirthi** an t-am ar fad toisc go raibh leanbh tabhartha aici. Nuair a thit an teach anuas níor thóg siad Pádraigín amach ón teach. **Ní fhaca Máire ach aghaidheanna crua agus fuarchúiseacha san áit sin freisin.**

Nuair a rugadh leanbh Mháire **thairg** Bean Uí Chinsealaigh a post ar ais ina teach di, gan an leanbh tabhartha ar ndóigh. **Is dócha gur cheap sí go raibh sí carthanach agus cineálta, ach cosúil le han-chuid daoine eile sa dráma seo, níor labhair sí le Máire faoina fadhb. Tuairimí na gcomharsan is mó a bhí ag dó na geirbe aici, rud a chuir sí in iúl ag an deireadh agus Máire marbh.**

Tá an fhimíneacht agus easpa Críostaíochta le feiceáil go ríshoiléir ag deireadh an dráma agus na carachtair go léir ina seasamh timpeall ar uaigh Mháire. Cheapfaí go mbeadh aiféala ar mhuintir Mháire faoin am seo agus í agus a hiníon óg marbh ach ní raibh. Mharaigh Máire a leanbh agus chuir sí lámh ina bás féin mar nár bhuail sí le faic ach míchairdeas, míthuiscint agus fimíneacht ó fuair sí amach go raibh sí torrach. Níor thuig a muintir ná an bhean uasal é sin agus lean siad lena bhfimíneacht fiú ag uaigh Mháire.

fimíneacht: *hypocrisy*	**coirpeach:** *criminal*
creideamh: *religion*	**mná an íosaicme:** *women from the lower classes*
rian: *trace*	**ag féachaint anuas uirthi:** *looking down on her*
leas: *benefit*	**fuarchúiseach:** *indifferent*
creidiúnach: *respectable*	**tairg:** *to offer*
dúshaothrú: *exploitation*	**carthanach:** *charitable*
d'fhostaigh sí: *she employed*	**ag dó na geirbe aici:** *bothering her*
litir mholta: *reference*	

 Obair Ranga

1. Ullmhaigh plean don fhreagra thuas. I ngach alt tá líne ag míniú an téama agus ansin tá samplaí ón scéil. Léigh an freagra arís agus féach ar struchtúr an fhreagra.
2. Pléigh téama an dráma sa rang.

3. Foghlaim na habairtí le cló dubh sa fhreagra thuas.
4. Foghlaim na focail thíos agus ansin scríobh abairtí ag baint úsáid astu.
   (a) fimíneacht
   _____
   _____

   (b) easpa Críostaíochta
   _____
   _____

   (c) creidiúnach
   _____
   _____

   (d) carthanach
   _____
   _____

   (e) fuarchúiseach
   _____
   _____

   (f) cruachroíoch
   _____
   _____

Ceist 4

'Is iad na mionphearsana is mó a léiríonn suáilcí agus duáilcí an duine sa dráma seo.' Déan plé ar an ráiteas sin i gcás do rogha beirt de na mionphearsana seo a leanas: Bean Uí Chinsealaigh, Mailí, Liam Ó Cathasaigh, Seáinín an Mhótair.

Freagra samplach:

Aontaím go hiomlán leis an ráiteas thuas. Tá na mioncharachtair an-tábhachtach sa dráma seo. Léiríonn **Bean Uí Chinsealaigh**, an bhean uasal, **duáilcí** an duine go soiléir. Nuair a díbríodh Máire as a baile fuair sí post ag obair don bhean seo, ag tabhairt aire dá páistí agus ag glanadh an tí. Rinne an bhean sin dúshaothrú ar Mháire mar nár íoc sí an tuarastal a gheall sí ina fógra nuachtáin. Bhí sí lánsásta le hobair Mháire agus bhí an chlann ar fad ceanúil ar Mháire. Chomh luath is a fuair sí amach go raibh Máire ag iompar clainne, ámh, shocraigh sí fáil réidh léi. Ní dúirt sí aon rud le Máire faoina cruachás, níor phléigh sí an scéal léi ach chuir sí fios ar an cara, an t-oibrí sóisialta. Ba é gnó Áine Ní Bhreasail a bheith ag plé le cailíní cosúil le Máire agus fuair sí áit di i dTeach Tearmainn. Tá Bean Uí Chinsealaigh ina scáthán den tsochaí fhimíneach **chúngaigeanta** a bhí ann. Chomh luath is a fuair sí amach go raibh Máire torrach, ní fhaca sí Máire a thuilleadh ach chonaic sí **peacach** agus **fadhb**. Níor léirigh sí **suáilce** ar bith, aon trua ná tuiscint.

Is mioncharachtar é **Seáinín an Mhótair** ach is **eisceacht** é sa dráma mar gur léirigh sé suáilcí an duine, chabhraigh sé le Máire agus bhí sé cineálta léi. Bhuail sé le Máire sa Teach Tearmainn ar dtús agus bhuail sé léi arís tar éis don teach ina raibh Máire ar lóistín titim anuas agus chuir sé déistin agus fearg air nár thug éinne cabhair di ach iad *'ag faire agus gan barr méire á ardú ag aon duine acu chun fóirithint'* uirthi. Thug sé cabhair bheag di, thug sé síob di ina charr go dtí teach Mhailí, áit a bhfaigheadh sí 'bheith istigh' ar feadh tamaill.

Sa radharc deiridh déanann sé achoimre ar chruachás Mháire *'Bhris sí na rialacha. An té a bhriseann rialacha an chluiche caillter é.'* Thuig sé **réaltacht an tsaoil** ag an am, gur **fhulaing** aon chailín a bhris rialacha agus **geasa** na sochaí ach bhí an tsuáilce agus an cineáltas ní ba láidre ná aon **bhreithiúnas** a thabharfadh sé féin agus bhuaigh an tsuáilce ar an duáilce, rud nár tharla go minic sa scéal tragóideach seo.

duáilcí: *vices*	eisceacht: *exception*
cúngaigeanta: *narrow-minded*	réaltacht an tsaoil: *reality of life*
peacach: *sinner*	fulaing: *to suffer*
fadhb: *problem*	geasa: *taboos*
suáilcí: *virtues*	breithiúnas: *judgement*

Obair Ranga

1. Pléigh carachtair Liam agus Mhailí sa rang.
2. Ullmhaigh plean chun freagra ar an gceist thuas a scríobh ar charachtair Liam agus Sheáin.
3. Pléigh an cheist thuas sa rang.
4. Foghlaim na focail thíos agus ansin scríobh abairtí ag baint úsáid astu.
   (a) cúngaigeanta

   _____

   _____

   (b) breithiúnas

   _____

   _____

   (c) d'fhulaing sí

   _____

   _____

   (d) eisceacht

   _____

   _____

   (e) fadhb

   _____

   _____

   (f) dúshaothrú

   _____

   _____

Ceist 5

'Glór Mháire: "Mharaigh mé mo leanbh de bhrí gur chailín í. Fásann gach cailín suas ina bean . . . Ní bheidh sí ina hóinsín bhog ghéilliúil ag aon fhear."' **Déan an dearcadh seo i leith na mban a phlé, agus bíodh tagairtí agat d'imeachtaí an dráma i do fhreagra.**

Freagra samplach:

Ó thús go deireadh an dráma tá Máire ag tabhairt breithiúnas an-dian uirthi féin. Tá sí ag glacadh leis gurbh óinsín bhog ghéilliúil a bhí inti féin maidir le Pádraig Mac Cárthaigh cé nár ghlac sí leis sin go dtí beagnach an deireadh. Bhí an dóchas aici i gcónaí go dtiocfadh Pádraig ar ais chun í a fháil nuair a bheadh sé saor mar gur chreid sí go raibh grá domhain aige di. Tar éis di bualadh le Pádraig agus le Colm ag teach Mhailí agus maslaí agus dearcadh gránna Choilm ar mhná a chloisteáil thuig sí fírinne an scéil agus shocraigh sí a hiníon a shábháil ón gcinniúint chéanna.

Chaill Máire a muintir, a baile agus b'fhéidir a creideamh ar son Phádraig. Ní bhfuair sí aspalóid ag an bhfaoistin toisc nach raibh sí sásta scarúint le Pádraig agus díbríodh í óna teach agus óna baile. Bhí sí ina haonar go hiomlán, thuig sí go raibh ród aonarach roimpi ach i gcónaí bhí dóchas éigin folaithe ina croí go mbeadh gach rud ina cheart am éigin. D'fhulaing Máire a lán ar mhaithe le Pádraig. Chaith an bhean uasal agus na mná sa teach lóistín go dona agus go míthrócaireach léi. Bhí uirthi post suarach a fháil ag glanadh na leithreas sa mhonarcha agus ansin bhí uirthi cónaí in arasán sriapaí. Náiríodh í go minic ach lean sí uirthi leis an dóchas go mbeadh sí féin, Pádraig agus a n-iníon le chéile am éigin. Nuair a mhaslaigh Pádraig í, ag glaoch striapaí uirthi agus ag diúltú Pádraigín a fheiceáil, thuig sí réaltacht an tsaoil den chéad uair. Ní fhéadfadh sí dul ar aghaidh agus ní ligfeadh sí dá hiníon na botúin chéanna a rinne a máthair a dhéanamh.

Bhí misneach agus neart Mháire tráite faoin am seo. Ní fhaca sí dóchas ná todhchaí ar bith dá hiníon agus rinne sí cinneadh uafásach agus diúltach. Tar éis gach ar ghabh sí tríd agus gach ar fhulaing sí ag iarraidh a leanbh a choimeád, thuig sí deacrachtaí an tsaoil a bheadh ann dá hiníon. Ní fhaca sí aon rogha eile ach deireadh a chur le gach rud agus a hiníon a shábháil ó fhealltacht na bhfear. Is díotáil uafásach é a cinneadh ar shaol na hÉireann ag an am.

Obair Ranga

1. An raibh Máire an-dian uirthi féin sa dráma seo?
2. Scríobh samplaí ón dráma a thaispeánann go raibh Máire láidir agus cróga ina saol.
3. Ullmhaigh plean don cheist thuas.
4. Foghlaim na habairtí tábhachtacha ón bhfreagra thuas [cuir líne faoi na habairtí i dtosach agus ansin scríobh i do chóipleabhar iad].
5. Cuir líne faoi aon fhocal nach dtuigeann tú sa fhreagra thuas agus faigh an focal san fhoclóir.
6. Pléigh an cheist thuas sa rang.
7. Scríobh míniú ar na focail thíos:
   (a) misneach _____
   (b) neart _____
   (c) cinniúint _____
   (d) scarúint _____
   (e) aonarach _____
   (f) díotáil _____
   (g) go míthrócaireach _____

Bain triail as ceisteanna a chríochnú

1. **Ceist: 'Tá plota an dráma seo chomh tráthúil inniu is a bhí sé riamh.'**
   É sin a phlé.

Tús freagra:

Baineann an dráma seo le fimíneacht, agus baineann fimíneacht éigin le gach aon tréimhse. Ba í aidhm an údair an lucht féachana a chur ag smaoineamh agus b'fhéidir cúrsaí a athrú i slí éigin. Tá ceacht le foghlaim ón dráma seo, go mbíonn drochthionchar, agus uaireanta tionchar tragóideach ag neamhshuim, míchineáltas agus fimíneacht an phobail ar dhaoine leochaileacha. Tiomáineadh Máire chun dúnmharaithe agus lámh a chur ina bás féin de dheasca na rudaí seo . . . [tabhair samplaí ón scéal agus pléigh tréithe na bpearsan]

Scríobh na pointí a chuirfidh tú i do fhreagra sa spás thíos.

_____

_____

_____

_____

_____

_____

_____

_____

_____

_____

_____

_____

_____

_____

2. **Ceist: Déan plé gairid ar a éifeachtaí is a chuirtear an choimhlint agus an teannas os ár gcomhair sa dráma seo.**

Tús freagra:

Cuirtear an choimhlint agus an teannas os ár gcomhair go han-éifeachtach sa dráma, *An Triail*. Tá coimhlint agus teannas idir dearcadh an phobail a deir gur peaca é páiste a bheith ag cailín singil agus grá láidir Mháire dá leanbh. Tá an choimhlint agus an teannas sin le feiceáil i máthair Mháire. Nuair a fuair sí amach go raibh Máire ag iompar clainne . . . [féach ar na nótaí ar mháthair Máire]

Tá an choimhlint agus an teannas le feiceáil i bpearsa an oibrí shóisialta, Áine Ní Bhreasail, a bhí mar ionadaí den stát oifigiúil. Bhí an stát lánsásta go mbeadh na heaglaisí ag deighleáil le fadhb na máithreacha aonair. Ghlac an stát, mar a ghlac na heaglaisí agus na tuataigh [*laity*] leis, go gcuirfeadh cailín a leanbh ar altramas agus bhí dlíthe ag an stát chun an cinneadh sin a dhéanamh dleathach. Feicimid an choimhlint agus teannas láidir nuair a dhiúltaigh Máire a leanbh a thabhairt suas.

Tá na seanargóintí go léir ag an oibrí sóisialta – go mbeadh tuismitheoirí creidiúnacha aici, agus go mbeadh Máire in ann dul ar aghaidh lena saol agus b'fhéidir fear a phósadh amach anseo. Briseann ar a foighne sa deireadh nuair is léir go bhfuil Máire chun a leanbh a choimeád. Deir sí go bhfuil Máire stuacach, ceanndána agus leithleasach. Is léir nach bhfuil mórán measa aici ar Mháire ná ar chailíní dá leithéid mar go ndeir sí go rachaidh a hiníon ar bhóthar a haimhleasa má fhanann sí le Máire. Dúirt an t-oibrí sóisialta le Máire '*Ní haon doichín do chailín óg leanbh tabhartha bheith aici.*' Agus ar ndóigh bhí an ceart aici. Toisc nach bhfuair Máire aon tacaíocht gur fiú trácht air chríochnaigh an choimhlint agus an teannas i dtragóid nuair a mharaigh Máire a leanbh álainn agus í féin.

Scríobh na pointí a chuirfidh tú i do fhreagra sa spás thíos.

_____

_____

_____

_____

_____

_____

1. 'Is iomaí duine a chlis ar Mháire ina saol.' É seo a phlé.

2. 'Is náireach an léiriú a thugtar dúinn ar shaol na hÉireann sna seascaidí.' Do thuairm faoi sin.

3. *'Cé a deir gur tír Chríostaí í seo?'* arsa Seáinín an Mhótair. Cad a thug air é seo a rá? Ar bhuail Máire le haon charthanacht Chríostaí ina saol?

4. Inis cad é príomhthéama an dráma seo, agus scríobh tuairisc ar an bhforbairt a dhéantar ar an bpríomhthéama sin i rith an dráma.

5. 'Ní raibh i ndán do Mháire Ní Chathasaigh ón tús ach brón agus tragóid.' É sin a phlé.

6. 'Muna ndéanann *An Triail* aon rud eile, taispeánann sé fiúíneacht agus easpa Críostaíochta an phobail i leith máithreacha míphósta in Éirinn sna caogaidí/seascaidí.' Léirigh fírinne an ráitis sin.

7. 'Níl baint ar bith ag an dráma seo le saol an lae inniu.' É sin a phlé.

8. 'Tá plota an dráma seo chomh tráthúil inniu is a bhí sé riamh.' É sin a phlé.

9. 'Cruthaíonn Máiréad Ní Ghráda pearsana drámata den scoth.' É sin a phlé.

10. Scríobh tuairisc ar an bpáirt a ghlacann do rogha beirt díobh seo thíos sa dráma, agus ar an mbaint atá acu leis an bpríomhphearsa: Pádraig; an mháthair; Mailí.

11. 'Fear brúidiúil mínáireach gan puinn scrupaill é Pádraig Mac Cárthaigh.' É sin a phlé.

12. 'Ní éiríonn leis an dráma seo toisc nach bhfuil aon inchreidteacht ag baint leis an bplota ann.' É seo a phlé.

13. Luaigh agus léirigh príomhbhua amháin agus príomhlaige amháin a bhaineann leis an dráma seo, dar leat.

14. 'Is ar éigean a d'fhéadfaí a rá go bhfuil duine amháin de na pearsana in *An Triail* sochreidte. Níl iontu ach "pearsana adhmaid" dá bhformhór.' É sin a phlé.

15. Máire: *'An ród atá romham caithfidh mé aghaidh a thabhairt air i m'aonar.'* Cad tá i gceist aici leis an gcaint sin? Scríobh tuairisc ghairid ar ar tharla di ina dhiaidh sin sa dráma.

16. 'An choimhlint idir dearcadh Mháire agus dearcadh a muintire is ábhar don dráma seo.' É sin a phlé.

17. *'Glór Mháire: "Mharaigh mé mo leanbh de bhrí gur chailín í. Fásann gach cailín suas ina bean . . . Ní bheidh sí ina hóinsín bhog ghéilliúil ag aon fhear."'* Déan an dearcadh seo i leith na mban a phlé, agus bíodh tagairtí agat d'imeachtaí an dráma i do fhreagra.

18. 'Is iad na mionphearsana is mó a léiríonn suáilcí agus duáilcí an duine sa dráma seo.' Déan plé ar an ráiteas sin i gcás do rogha beirt de na mionphearsana seo a leanas: Bean Uí Chinsealaigh, Mailí, Liam Ó Cathasaigh, Seáinín an Mhótair. (2005)

19. Déan plé ar an gcaoi a n-éiríonn (nó nach n-éiríonn) leis an údar an choimhlint ghéar atá in intinn Mháire a chur i gcion ar an lucht féachana. (2005)

20. Scríobh tuairisc ghairid ar an bpáirt a ghlacann do rogha beirt de na pearsana seo sa dráma agus ar an gcaoi a gcuireann siad le cur chun cinn an phlota: Mailí, Bean Uí Chathasaigh, Áine Ní Bhreasail.

21. Déan plé gairid ar a éifeachtaí is a chuirtear an choimhlint agus an teannas os ár gcomhair sa dráma seo. (2003)

22. 'Is iomaí riail a briseadh sa dráma seo.' Déan plé gairid ar an bpáirt a ghlacann briseadh rialacha sa dráma seo maidir le dhá cheann de na rialacha úd. (2002)

23. Déan plé gairid ar an gcodarsnacht a bhí idir an bheirt charachtar, Bean Uí Chathasaigh, máthair Mháire, agus Mailí, an striapach. Déan tagairt speisialta don tionchar a bhí acu ar phríomhimeachtaí an dráma.

24. *Mharaigh mé mo leanbh de bhrí gur cailín í. Tá sí saor. Ní bheidh sí ina hóinsín bhog ghéilliúil ag aon fhear.'* Déan plé ar an bpáirt a ghlacann na fir sa dráma seo agus ar an léiriú a dhéantar orthu. (2001)

25. Déan trácht ar an tragóid a léirítear sa dráma seo agus ar an gcaoi a gcuirtear an tragóid sin os ár gcomhair. (2001)

26. 'Briseadh rialacha, sárú geasa is bun le tragóid go traidisiúnta.' Déan trácht ar dhá cheann de na rialacha a briseadh agus ar an gcaoi a gcabhraíonn briseadh na rialacha seo le gné na tragóide a léiriú sa dráma seo.

27. Déan plé ar an bpáirt a ghlacann do rogha beirt díobh seo thíos sa dráma agus ar an mbaint atá acu leis an bpríomhphearsa: Seán Ó Cathasaigh, Bean Uí Chinsealaigh, Mailí, Seáinín an Mhótair.

28. 'Sa dráma seo scrúdaíonn an t-údar dearcadh mícharthanach an phobail ar mháithreacha aonair.' É sin a phlé.

29. 'Dráma ina gcuirtear ceisteanna crua faoi shaol na hÉireann é *An Triail*.' É sin a phlé i gcás do rogha dhá cheann de na 'ceisteanna crua' sin.

30. Scríobh tuairisc ar dhá cheann de na coimhlintí atá sa dráma seo idir na pearsana difriúla.

Abairtí Samplacha le foghlaim

1. Cuir Béarla ar na habairtí thíos
2. Foghlaim na habairtí
3. Ullmhaigh alt gearr faoi théama an dráma seo. [bain úsáid as na nótaí thíos]
4. Foghlaim an t-alt atá scríofa agat.

(a) Baineann *An Triail* le cás cailín shingil a bhí torrach agus an chaoi uafásach chruachroíoch ar caitheadh léi i sochaí na hÉireann ag an am.

_____

_____

(b) Iarrtar ar an lucht féachana a bheith mar ghiúiré sa *Triail*, an fhianaise a scrúdú gan trua.

_____

_____

(c) Nuair a bhí Máiréad Ní Ghráda óg chonaic sí mar ar caitheadh le cailín óg singil a bhí torrach ina ceantar féin. Chuir fimíneacht na heachtra uafás uirthi agus sa dráma seo éiríonn léi an t-uafás sin a léiriú dúinn.

_____

_____

_____

_____

(d) In *An Triail*, tá coimhlint idir dílseacht agus grá Mháire dá páiste agus an tsochaí a deir gur peaca é leanbh a bheith ag cailín singil agus gur cheart an leanbh a chur ar altramas. Eascraíonn tragóid as an gcoimhlint seo mar a fheictear ag deireadh an dráma.

_____

_____

_____

_____

(e) Baineann an dráma seo le fimíneacht, agus baineann fimíneacht éigin le gach aon tréimhse.

_____

_____

(f) Ní fhaca sí dóchas ná todhchaí ar bith dá hiníon agus rinne sí cinneadh uafásach agus diúltach.

_____

_____

(g) Tá an fhimíneacht agus easpa Críostaíochta le feiceáil go ríshoiléir ag deireadh an dráma agus na carachtair go léir ina seasamh timpeall ar uaigh Mháire.

_____

_____

(h) Mharaigh Máire a leanbh agus chuir sí lámh ina bás féin mar nár bhuail sí le faic ach míchairdeas, míthuiscint agus fimíneacht ó fuair sí amach go raibh sí torrach.

_____

_____

(i) Léiríonn Máiréad Ní Ghráda an tionchar a bhí ag sochaí chrua agus mhíthuisceanach ar chailíní leochaileacha aonaracha.

_____

_____

(j) Plota sochreidte amach is amach atá ann – cailín óg singil atá torrach agus a dhíbrítear as a baile agus as an tsochaí.

_____

_____

(k) Toisc nach bhfuair Máire aon tacaíocht gur fiú trácht air chríochnaigh an choimhlint agus an teannas i dtragóid nuair a mharaigh Máire a leanbh álainn agus í féin.

_____

_____

(l)   Tá Bean Uí Chinsealaigh ina scáthán den tsochaí fhimíneach chúngaigeanta a bhí ann.

_____

_____

(m)   D'fhulaing Máire a lán ar mhaithe le Pádraig.

_____

_____

(n)   Chaill Máire a muintir, a baile agus b'fhéidir a creideamh ar son Phádraig.

_____

_____

(o)   Ghlac an stát leis, mar a ghlac na heaglaisí agus na tuataigh, go gcuirfeadh cailín a leanbh ar altramas agus bhí dlíthe ag an stát chun cinneadh sin a dhéanamh dleathach.

_____

_____

(p)   Is díotáil uafásach é a cinneadh ar shaol na hÉireann ag an am.

_____

_____

(q)   Nuair a mhaslaigh Pádraig í, ag glaoch striapach uirthi agus ag diúltú Pádraigín a fheiceáil, thuig sí réaltacht an tsaoil den chéad uair.

_____

_____

(r)   Tá coimhlint agus teannas idir dearcadh an phobail a deir gur peaca é páiste a bheith ag cailín singil agus grá láidir Mháire dá leanbh.

_____

_____